La bibliothèque Gallimard

Émile Verhaeren

Les Villes tentaculaires

Lecture accompagnée par
Danièle Marin
professeur de lettres modernes
et **Nicole Randon**
agrégée de lettres modernes
professeur au lycée Henri IV,
à Paris

La bibliothèque Gallimard

Florilège

«La plaine est morne et morte – et la ville la mange.»
(«La plaine»)

«Ô les siècles et les siècles sur cette ville!» («L'âme de la ville»)

«– Ô ces foules, ces foules,
Et la misère et la détresse qui les foulent!» («Les cathédrales»)

«Ô les Babels enfin réalisées!
[…]
Et la ville comme une main, les doigts ouverts,
Se refermant sur l'univers!» («Le port»)

«Et sous les lanternes qui pendent
Rouges, dans la brume, ainsi que des viandes,
Ce sont des filles qui attendent.» («Le spectacle»)

«Comme un torse de pierre et de métal debout
Le monument de l'or dans les ténèbres bout.» («La bourse»)

«C'est un bazar bâti si haut que, dans la nuit,
Il apparaît la bête et de flamme et de bruit
Qui monte épouvanter le silence stellaire.» («Le bazar»)

«Le quartier fauve et noir dresse son vieux décor
De chair, de sang, de vice et d'or.» («L'étal»)

«Referont-ils, avec l'ancien et bon soleil,
[…]
Un monde enfin sauvé de l'emprise des villes?» («Vers le futur»)

Ouvertures

Émile Verhaeren,
poète de la modernité

Aujourd'hui injustement délaissées, *Les Villes tentaculaires* d'Émile Verhaeren, parues en 1895, ont joué dans l'histoire de la poésie un rôle d'initiatrices dont nos contemporains n'ont pas ou peu conscience. De leurs poèmes s'exhale une voix qui, bien avant Apollinaire et ses amis futuristes, a exprimé avec une puissance épique alors sans équivalent les vertiges du monde moderne sculpté à neuf par l'explosion industrielle. La forme, plus que radicalement nouvelle, en est farouchement singulière ; la thématique urbaine est exploitée avec une exhaustivité qui n'a d'égale que celle, peut-être, des *Tableaux parisiens* de Baudelaire – dont la composition n'atteint pourtant pas un tel degré d'achèvement. Au cœur de cette gigantesque métropole, tout à la fois mythique et cruellement réelle, où se fondent toutes les villes européennes du XIXe finissant, bat le cœur troublé des temps modernes au rythme effréné duquel, dans les affres de douloureuses métamorphoses, est né l'homme du XXe siècle. Et Verhaeren, premier poète de la modernité, en est le peintre inspiré.

Quarante ans d'expérience

S'affranchissant de la rondeur des dates, les historiens distinguent deux XIXe siècles, le deuxième ne commençant selon eux qu'en 1870 pour s'achever en 1914. *Les Villes tentaculaires*, dernier des trois recueils qui vaudront une notoriété européenne au poète belge Émile Verhaeren, sont donc nées en cette période d'accalmie entre deux guerres, durant

5

laquelle l'Occident connaît une formidable expansion industrielle. L'année de leur publication, en 1895, le futur chantre de *Toute la Flandre* atteint la quarantaine. On l'a connu critique littéraire (dans diverses revues dont *Jeune Belgique*), critique d'art (dans la revue *L'Art moderne* mais aussi dans deux études consacrées aux peintres belges Heymans et Khnopff), anthologiste et même conteur (*Les Contes de minuit*). Il a connu le désir de créer une poésie belge digne des grands peintres flamands, la fougue socialisante de son patron et ami Edmond Picard, et une sévère dépression qui lui a fait côtoyer les effrayants rivages de la folie. On l'a vu flirter avec la forme poétique parnassienne ou loucher du côté des effets réalistes appuyés du naturalisme (*Les Flamandes*), se couler dans l'atmosphère éthérée des symbolistes et s'aventurer sur les sentiers du mysticisme (*Les Moines*) avant de trouver, dans sa sombre trilogie des *Soirs*, des *Débâcles* et des *Flambeaux noirs*, les rythmes et les accents d'un vers-librisme* teinté de classicisme qui feront sa spécificité littéraire. Á quarante ans, Émile Verhaeren a donc trouvé son souffle.

Un cosmopolitisme européen sur fond de crise

Sans doute pourrait-on dire aussi « retrouver », car sa personnalité poé-tique n'a pu s'affirmer qu'au prix d'une longue crise morale de quatre ans qui, commencée en 1878, n'a pris fin qu'au moment de son mariage, en 1891, avec la musicienne et peintre belge Marthe Massin. Torturé par de noires idées, en proie à des délires neurasthéniques dont les « Chansons de fous » des *Campagnes hallucinées* portent encore la trace en 1893, le trouvère flamand des temps modernes multiplie ses voyages dans les pays d'Europe occidentale. Il se constitue ainsi, de Londres à Paris et Madrid, un vaste réservoir d'images où villes et cam-pagnes, perçues à travers le prisme aggravant du pessimisme, subissent les assauts de l'industrialisation massive. Le petit garçon anversois élevé à la chaleur rassurante des préceptes chrétiens, le fougueux étudiant en droit à l'université catholique de Louvain, le jeune adulte bruxellois défendant d'une plume active les intérêts littéraires flamands n'existent plus. Les affres de la maladie mentale, la perte de la foi et l'expérience de l'étranger ont temporairement éloigné Verhaeren de ses repères de provincial campagnard. Le voici transformé et, rétabli après une dévastation comparable à celle des paysages ruraux de son enfance, désireux de porter sur les métamorphoses du monde un regard de témoin aussi neuf que celles-ci lui paraissent.

La grande fresque poétique d'un ami des peintres

Le regard de Verhaeren est avant tout celui d'un peintre. Voir, et donner à voir, semble le credo poétique d'un homme qui, ami de nombreux peintres belges et français, éprouvait par ailleurs une admiration passionnée pour les audaces expressionnistes d'Auguste Rodin avec qui il partage une extraordinaire puissance d'évocation. L'insatiable curiosité du poète flamand, si elle est géographique et l'invite à de nombreux

Émile Verhaeren peint par Théo Van Rysselberghe en 1905.

7

voyages, s'avère, en effet, également artistique. Dès ses débuts dans la vie active, il rencontre un esthète passionné en la personne d'Edmond Picard dans le cabinet bruxellois duquel il forge, en qualité de stagiaire, ses premières (et dernières) armes d'avocat. Le souhait de Picard est de réunir de jeunes artistes belges autour de la revue *L'Art moderne*. Des peintres comme Fernand Khnopff, Jan Toorop et Félicien Rops, des architectes comme Paul Hankar et Victor Horta, et des artisans se constituent en mouvement (qui deviendra le groupe des XX en 1884) avec le souhait d'adapter l'art au monde scientifique et industriel contemporain. Invité à contribuer à la revue comme rédacteur, Verhaeren, qui écrit également pour la revue *Jeune Belgique*, fait la connaissance de certains de ses futurs amis : Théo Van Rysselberghe mais aussi Khnopff et James Ensor sur lesquels il publiera des études spécifiques. Son engagement en faveur de la peinture moderne le conduit tout naturellement à se rapprocher de néo-impressionnistes français avec qui il entretient ensuite des relations amicales suivies.

L'époque favorise de tels rapprochements entre écrivains et artistes. À la fin du XIXe siècle, Bruxelles fait figure, avec Paris et Vienne, de centre de l'art moderne européen où, notamment, l'architecte Victor Horta « rédige » à travers la construction de la maison Tassel le premier manifeste de l'Art Nouveau. L'exercice littéraire du « Salon », initié au siècle des Lumières par Denis Diderot, occupe nombres de littérateurs, de Victor Hugo à Émile Zola, en passant par Charles Baudelaire. L'intérêt de Verhaeren pour les arts graphiques, d'abord limité aux productions contemporaines, l'amène à se pencher aussi sur le passé pour explorer, avec *Rembrandt* (1905) et *Pierre-Paul Rubens* (1910), la création picturale nordique au XVIIe siècle. C'est dire l'attachement fidèle du poète pour une forme d'expression qui, ajoutant à ses impressions visuelles de voyageur assidu, nourrit son imaginaire et marque profondément sa manière – très picturale – d'écrire. Le terme de *fresque* s'impose dès lors pour qualifier la trilogie de Verhaeren dont la visée sociale et la portée épique sont sans doute inspirées par l'exemple hugolien de *La Légende des siècles*.

Un artiste militant pour le progrès social

Victor Hugo constitue, avec Baudelaire, la référence majeure du jeune Verhaeren qui, à la mort de son maître en littérature, écrit : « Oui, nous croyons en Dieu ; nous croyons en celui qui créa la *Légende des siècles*. » En 1885, date de cette déclaration, le poète flamand n'a sans doute pas encore conçu son projet de trilogie sociale. Celle-ci, qui devait initialement inclure *Les Villages illusoires* pour ensuite s'en séparer, a d'ailleurs mis du temps à prendre sa forme définitive dans l'esprit de Verhaeren. Une fois écarté le recueil central des *Villages illusoires*, l'idée naît d'un autre triptyque* que viendrait clore, après *Les Campagnes hallucinées* et *Les Villes tentaculaires*, une troisième œuvre intitulée *Les Aubes*. Celle-ci, bien que publiée en 1898, adoptera finalement la forme d'une pièce de théâtre et ne sera jamais rattachée à ce qu'il nous faut désormais considérer comme un « diptyque* » – selon un terme pictural bien adapté à son caractère poétique éminemment visuel.

Cette lente maturation rappelle l'histoire de *La Légende des siècles* que Victor Hugo avait mis près de vingt-cinq ans à achever. Mais là n'est pas la seule ressemblance entre les deux œuvres. Toutes deux peignent en effet ce « mouvement d'ascension vers la lumière » dont parlait Hugo dans sa préface. Hugo adopte une perspective diachronique et Verhaeren synchronique, même si ses villes portent l'empreinte indélébile des siècles passés. Mais l'un comme l'autre font œuvre d'historiens sociologues, témoignant, avec un même sens de l'expression épique, des heurs et malheurs d'une humanité en marche vers le progrès. À n'en pas douter, le diptyque de Verhaeren est aussi une épopée des petits qui, martyrs de l'Histoire, se relèvent dans la révolte pour infléchir son cours et promouvoir l'avènement d'un monde nouveau. Sa « fidélité [...] à la couleur du temps » est aussi « absolue » que celle que Victor Hugo prêtait aux *Légendes des siècles* et c'est bien là « de l'histoire écoutée aux portes de la légende ».

Les Villes tentaculaires portent également trace de la lecture des *Tableaux parisiens* et le présent ouvrage s'attache à montrer, par le biais d'études comparatives, ce que Verhaeren doit à Baudelaire et comment, également, il s'en distingue. Car pour triste qu'il puisse être, le constat d'une effrayante mutation de la ville s'accompagne, chez Verhaeren, d'une compassion pour ces ouvriers déshumanisés des temps modernes et du sentiment de voir déjà se profiler le jour où, se soulevant, ceux-ci reprendront possession de leur destin. Baudelaire revendiquait le droit de fermer sa porte aux grondements de la ville ; l'auteur des *Villes tentaculaires* est, comme Hugo, engagé dans le mouvement d'émancipation sociale qui agite la deuxième partie du XIXᵉ siècle. L'implication sociale de Verhaeren n'est d'ailleurs pas que de papier puisque, initié aux idées marxistes par son patron et ami Edmond Picard, il apporte, en 1882, son appui au leader socialiste Émile Vandervelde pour l'installation, à Bruxelles, de la section « Art » du Parti ouvrier.

Jules Adler peint en 1899 *La grève* : femmes, hommes et enfants unis dans une même manifestation, c'est le paysage social de cette fin du XIXᵉ siècle.

Des villes ? Quelles villes ?

Soulèvements ouvriers et progrès social

La grogne des ouvriers, Verhaeren en a été témoin dans sa Belgique natale. Émancipée de la Hollande (dont elle chasse les troupes de Bruxelles en octobre 1830), celle-ci a connu un développement économique si rapide qu'elle est devenue en peu de temps le pays européen le plus industrialisé après l'Angleterre. Fondée sur le textile, le charbon et la métallurgie, l'industrialisation a radicalement transformé sa société où l'avènement d'une bourgeoisie florissante a pour contrepartie moins glorieuse la naissance d'un prolétariat misérable issu en grande partie du monde rural et désormais entassé dans des villes à la croissance hâtive et anarchique. Avec le port d'Anvers et le vaste réseau ferré qui la relie à l'Europe continentale, « la Belgique est à la fois un carrefour et un rendez-vous du monde », selon la formule d'un biographe de Verhaeren. Ce qui ne l'empêche pas de subir de plein fouet la crise économique qui affecte l'Europe entière de 1873 à 1895. Le chômage et une baisse conséquente du pouvoir d'achat rendent encore plus épouvantables les conditions de vie dans les villes belges surpeuplées. S'ensuivent de nombreuses grèves et manifestations qui, durement réprimées, tardent à produire leurs fruits et il faudra attendre l'action d'un nouveau catholicisme social pour que le gouvernement adopte, de 1889 à 1903, une série de mesures sociales progressistes concernant les constructions d'habitations ouvrières, les pensions de vieillesse, la réglementation du travail des femmes et des adolescents et l'assurance accidents du travail.

Des métropoles pieuvres

Pourtant des problèmes de même nature se rencontrent partout dans l'Europe du capitalisme triomphant et, voyageur invétéré, le poète flamand peut constater de Paris à Londres les méfaits de l'industrialisation massive des villes dont le corps monstrueux, nourri du travail servile de millions d'hommes déracinés, enfle au point de se répandre en noires banlieues hideuses sur le domaine traditionnel des campagnes. À son imagination s'imposent la figure de la pieuvre et le néo-

Histoire et culture au temps de Verhaeren

	Histoire	Culture	Vie et œuvre de Verhaeren
1855-1867		1857 : *Les Fleurs du Mal* de Baudelaire. 1866 : *Poèmes saturniens* de Verlaine. 1867 : *Le Capital* de Marx.	Naît à Saint-Amand, près d'Anvers en Belgique. Son père est représentant de commerce, sa mère issue de la bourgeoisie aisée. Éduqué en français, il va néanmoins à l'école flamande.
1869			Études secondaires chez les Jésuites à Gand.
1871	Fin de la guerre franco-allemande. La Commune.	Zola publie *La Fortune des Rougon*.	
1881	Protectorat français sur la Tunisie.		Docteur en droit. Contribue à la revue *Jeune Belgique* dont la devise est : « Soyons nous ».
1882			Contribue à la revue *L'Art moderne* et participe à la section Art du Parti ouvrier.
1883	Premier gratte-ciel aux États-Unis.	*Les poètes maudits* de Verlaine.	*Les Flamandes*, recueil dont la sensualité et le réalisme font scandale.
1884	Conférence coloniale de Berlin.	*À Rebours* de Huysmans. *Une baignade à Asnières* de Seurat est refusé par le Salon.	Premier séjour à Paris, où il rencontre Mallarmé, Huysmans, Paul Bourget et quelques décadents. Publie un recueil de contes, *Les Contes de minuit*.
1885	Protectorat français sur Madagascar.	*Les Mangeurs de pommes de terre* de Van Gogh.	Publie une étude sur le peintre belge *Joseph Heymans*.
1886		*Illuminations* de Rimbaud. Dernière exposition Impressionniste.	*Les Moines*, recueil empreint d'un mysticisme assez froid. Voyage en Angleterre, en Allemagne et en Espagne.
1889	Fondation de la Deuxième Internationale. Grève des dockers londoniens.	Achèvement de la tour Eiffel et Exposition universelle de Paris.	*Les Soirs* et *Les Débâcles*, recueils d'un symbolisme pessimiste. Rencontre Marthe Massin, peintre et musicienne, qui deviendra sa femme. Premier opus d'une trilogie sociale, *Les Campagnes hallucinées*.
1893	Protectorat français au Dahomey.		
1895	Fondation de la CGT en France. Création de l'Afrique-Occidentale française.	Invention du cinématographe par les frères Lumière.	Fin de la trilogie sociale : *Les Villages illusoires* et **Les Villes tentaculaires**. Fonde une revue à l'esprit socialisant : *Le Coq Rouge*.
1896	Madagascar conquise par la France. Début de la reprise économique.	Mallarmé élu « prince des poètes ».	Dans *Les Heures claires*, le poète chante le bonheur de la vie conjugale.
1898	Affaire Dreyfus : Zola publie « *J'accuse* »	Mort de Georges Rodenbach.	*Les Aubes*, drame où le poète cherche à synthétiser sa vision d'une ère révolutionnaire capable d'abattre l'ancien monde

1899		Edmond Picard (1836-1924) invite Auguste Rodin à exposer dans son propre hôtel particulier.	Installation à Paris. *Petites légendes, Les Vignes de ma muraille*. Remplis de fougue et d'optimisme, *Les Visages de la vie*.
1900		Inauguration du Métropolitain parisien. Le peintre belge Fernand Khnopff fait ériger un temple dédié à son œuvre.	*Le Cloître*, drame historique. *Poèmes légendaires de Flandre et de Brabant*. *Images japonaises*, poèmes.
1901			*Les Petits Vieux*, poèmes. *Philippe II*, nouveau drame historique.
1902		*Les Bas-fonds* de Gorki.	*Les Forces tumultueuses*, dédiées à Auguste Rodin.
1904		Création du journal *L'Humanité*.	Avec *Les Tendresses premières*, naît le cycle *Toute la Flandre* (1904-1911), où Verhaeren chante son pays natal. Il est « poète national ».
1905		Naissance du fauvisme.	*Les Heures d'après-midi*. *Rembrandt*, critique d'art.
1906			*La Multiple Splendeur*.
1907	Révolte des vignerons du Languedoc.	*Les Demoiselles d'Avignon* de Picasso.	*La Guirlande des dunes*. Conférence sur les « Lettres françaises de Belgique »
1908	Cession du Congo à la Belgique par Léopold II.		Monographie sur un compatriote et ami, le peintre James Ensor.
1910	Loi française sur les retraites ouvrières et paysannes.	*L'Hérésiarque et Cie* d'Apollinaire.	*Toute la Flandre - Les Villes à pignons*.
1911		Premier salon cubiste.	*Les Rythmes souverains*. *Pierre-Paul Rubens*.
1912	Protectorat français sur le Maroc.		*Les Heures du Soir* et *Toute la Flandre - Les Plaines*. *Les Blés mouvants*. Drame historique : *Hélène de Sparte*.
1913		*Alcools* d'Apollinaire. *Du côté de chez Swann* de Proust.	Conférence à Saint-Pétersbourg sur « La Culture de l'enthousiasme ».
1914	Début de la Première Guerre mondiale.		S'engage activement dans les milieux pacifistes et anti-allemands.
1916	Févr.-nov. : bataille de Verdun.		*Parmi les Cendres* et *Les Ailes rouges de la guerre*. Meurt le 27 novembre, happé par un train.
1917-1924			Parution posthume de : *Les Flammes hautes* (1917), *À la vie qui s'éloigne* (1924) et *Quelques chansons de village* (1924).

logisme* «tentaculaire» qui, souvent repris depuis, a fini par figurer dans le dictionnaire.

Désignées au pluriel dans le titre de son recueil, les villes décrites par Verhaeren renvoient à toutes les métropoles européennes de l'époque, réunies en une entité symbolique unique dont le poète s'efforce de saisir l'essence par-delà les particularités locales. Seules Paris et Florence sont nommément citées. C'est bien «l'âme de la ville» de la fin du XIXᵉ siècle que le voyageur, séduit par le cosmopolitisme intellectuel et artistique de l'époque, entend capturer dans les filets de son écriture.

Avant les villes, *Les Campagnes hallucinées*

Deux ans avant *Les Villes tentaculaires* paraissent *Les Campagnes hallucinées* (1893). Consacré à la vie rurale, ce livre de dix-huit poèmes s'ouvre sur une pièce intitulée «La Ville», préfigurant à travers ce début thématiquement dissonant, la composition des *Villes tentaculaires*. Celui-ci, consacré à l'univers urbain, adopte pour poème liminaire une évocation de «La Plaine» dévorée par l'industrialisation. C'est ainsi par «La Ville» que le lecteur entre dans *Les Campagnes hallucinées*, tout comme il sera invité à pénétrer dans *Les Villes tentaculaires* après un détour par «La Plaine». Cette double composition en miroir souligne le projet d'un lien direct entre deux œuvres que Verhaeren réunira dans les éditions ultérieures, préférant finalement la puissance évocatrice de cette opposition tranchée à la trilogie initialement prévue où des *Villages illusoires* (1895) devaient venir s'intercaler entre les deux grands pôles de la vision poétique. Il serait donc malvenu d'étudier *Les Villes tentaculaires* sans s'intéresser au recueil qui les a précédées et, notamment, à deux poèmes : celui où apparut pour la première fois l'expression qui leur servira de titre («C'est la ville tentaculaire», vers 49 de «La Ville») et celui dépeignant «Les Plaines» avant leur invasion par les machines.

Le titre choisi par un visionnaire

Arrêtons-nous d'abord sur l'étrange titre des *Campagnes hallucinées* pour constater que le recueil oppose non pas la ville à la campagne mais <u>la</u> ville, désignée au singulier générique (même si, comme on le verra, elle est multiple), <u>aux</u> campagnes, plurielles et comme personnalisées dans leur pluralité. Ainsi, un seul monstre prédateur aura raison d'une multiplicité d'entités dont le nombre ne constituera pas une force de résistance suffisante.

L'adjectif choisi par le poète pour qualifier ces campagnes ne laisse pas d'étonner. Le mot, dérivé du latin *hallucinatus*, est apparu au XVII⁰ siècle où il vient enrichir la langue médicale pour désigner toute

La Pierre de folie,
représentée
par Jérôme Bosch.
Selon vous,
qui est le « fou » ?

personne sujette à une perception pathologique de faits ou d'objets inexistants, ou de sensations éprouvées en l'absence de tout stimulus. L'adjectif évoque une pathologie psychique, la vision d'un fou. De fait, le recueil s'organise autour de la récurrence, à intervalle régulier, d'une «Chanson de fou» chaque fois différente. Serait-ce là suggestion d'une démence rurale? La personnification* des campagnes qu'implique leur association au qualificatif *hallucinées* n'empêche pas d'attribuer, dans le même temps, cette vision déformée de la réalité au poète lui-même. La poésie est un puissant hallucinogène et Verhaeren ne l'aurait pas nié, qui se peint visionnaire, notamment au cœur même de son recueil («Chanson de fou» n° 6):

《 Moi seul je vois
Les maux qui dans les cieux flamboient [...]
Et depuis lors, moi seul j'entends
Baller
La nuit, le jour, toujours,
La fête
Des tocsins fous contre ma tête. **》**

Tous les chemins vont vers la ville

«Tous les chemins vont vers la ville.» Tel est le vers qui ouvre à la fois le poème «La Ville» et le recueil des *Campagnes hallucinées*. C'est faire d'emblée de la cité le nouveau cœur de l'univers humain, comme Rome – à laquelle menaient également tous les chemins – était autrefois le centre du monde. Imprimé en italique «La Ville» occupe, dans le recueil qui l'accueille en frontispice, la place que tiendra le poème «La Plaine» – en italique aussi – dans les *Villes tentaculaires*: celui d'incontournable contrepoint. De fait, la désolation des campagnes parle de la prééminence naissante de la ville tout comme les richesses multiformes de la ville évoqueront la désertification des campagnes. Seul change le point de vue. Pour l'heure, le lecteur est, avec Verhaeren, du côté des campagnes, percevant de loin l'appel sulfureux, «*là-bas*», d'un «nocturne et colossal espoir» et déjà en esprit happé par les tentacules de «la pieuvre ardente» vers laquelle «s'en vont à l'infini», tous «les chemins *d'ici*».

La réalité rurale en dix-sept poèmes

Après l'évocation de «La Ville», dix-sept poèmes disent la désolation des campagnes et sonnent le glas du monde rural. «Les Plaines» sont à l'agonie; la misère, mauvaise conseillère, nourrit le vice et pousse au suicide («Le Donneur de mauvais conseils»); la peur de la malédiction conduit à la superstition et au satanisme («Le Pèlerinage»). Partout aux champs, la maladie guette derrière l'inertie («Les Fièvres»). De la simple malveillance au meurtre, en passant par l'inceste, la pédophilie, la nécrophilie et la zoophilie, les pires crimes éclosent comme un prurit inévitable («Le Péché») et «Les Mendiants» sèment dans la population la terreur de devoir un jour partager leur sort. Malgré l'invitation toni-truante d'un orgue grinçant («La Kermesse»), le cœur plus jamais n'est à la fête et «Le Fléau», la mort ivre de sang, dédaigneuse même des objurgations des personnes divines aussi essoufflées que l'espoir des

Au début de sa carrière de peintre, Vincent Van Gogh a représenté *Les mangeurs de pommes de terre*. En regardant attentivement ce tableau, vous pourrez saisir où se passe la scène, quels liens unissent ces personnages.

fidèles, pousse les « gens d'ici » sur les routes de l'exode rural (« Le Départ »). « Les temps sont vieux » et, symbole d'un monde révolu, « La Bêche » qui clôt le recueil est abandonnée « là, et pour toujours », « sur le cadavre épars des vieux labours ».

La vie au champ a tout perdu de ce qui fit, autrefois, sa splendeur : « Aux alentours, ni trèfle vert, ni luzerne rougie, / Ni lin, ni blé, ni frondaisons, ni germes. » Il ne reste plus aux habitants qu'à troquer le signe de croix, désormais inutile, contre un acte définitif de renonciation (« La Bêche ») : « – Fais une croix sur le sol jaune […] – Fais une croix vers les chaumières […] – Fais une croix […] sur le chemin […] – Fais une croix sur le demain / Définitive, avec ta main – […] – Fais une croix aux quatre coins des horizons. » Le seul salut semble venir de la ville et, suggéré par « Le Donneur de mauvais conseils », l'exode rural a déjà commencé : « Il vaticine et il marmonne, / Et les poussant à tout quitter, / Pour un peu d'or qu'ils entendent tinter / En des villes, là-bas, au bout du monde. »

Les mornes plaines de la dépression

En sept endroits du recueil, avec une régularité notable, s'exprime – le plus souvent à la première personne – le point de vue d'un « fou » dont la triste lyre produit sept « chansons ». Remarquons que « chanson » évoque tout à la fois une ritournelle d'origine populaire et une forme littéraire moyenâgeuse (la chanson de geste). Or, pour Verhaeren, la campagne est le berceau de l'humanité et sa population la représentante du monde ancien menacé par l'avènement de la ville moderne : « les temps sont vieux », écrit-il, et dans la plaine, laissé à l'abandon, « pourrit […] le cœur antique de la terre ». Tout naturellement la chanson apparaît-elle, dès lors, comme le mode d'expression par excellence du monde rural.

Les « chansons de fous » n'ont rien de gai dans *Les Campagnes hallucinées*. Elles témoignent à première lecture d'une vision perturbée de la réalité où se dit le malaise d'un fou, peut-être plus conscient que ses congénères sains d'esprit de l'inéluctable dégradation de leur milieu de vie. Les poèmes de fou sont marqués par une logique apparemment délirante :

《 Ce sont les yeux qu'on m'a volés
Quand mes regards s'en sont allés,
Un soir, que je tournai la tête. **》** « Chanson de fou » n° 1

《 Jadis, lorsque mon cœur cassa,
Une femme le ramassa
Pour le donner aux rats. **》** « Chanson de fou » n° 3

Le dément, qui dit le morcellement de son corps, est en proie à un dédoublement de personnalité :

《 Le crapaud noir sur le sol blanc
Me fixe indubitablement
Avec des yeux plus grands que n'est sa grande tête ;
Ce sont les yeux qu'on m'a volés. **》** « Chanson de fou » n° 1

《 L'un d'eux a pris mon âme
Et mon âme comme une cloche
Vibre en sa poche. **》** « Chanson de fou » n° 2

《 Derrière le mur de son front
Battait mon cerveau noir :
[…]
Il se plaignait de tant souffrir
Et d'être là, hors de moi-même, et d'y pourrir **》** « Chanson de fou » n° 4

Mais ce sont là paroles de voyant, au sens rimbaldien du terme, car le fou perçoit ce que les autres ignorent : « Moi seul je vois / Les maux qui dans les cieux flamboient. »

Cette folie productrice de souffrances est double. Elle est d'abord celle des habitants de la campagne, rongés par des maux nouveaux qui les conduisent vers l'abjection, dernier stade de la dégénérescence d'une vieille lignée d'hommes bientôt remplacée par celle, toute jeune, des ouvriers citadins. Partout présente, elle contamine jusqu'à l'emblème du monde rural, l'épouvantail, auquel s'identifie le fou de la

« Chanson » n° 2 : « Deux bras de paille, / Un dos de foin [...] Un paysan est survenu / Qui nous piqua dans le sol nu, / Eux tous et moi, vieilles défroques, / Dont les enfants se moquent. »

La folie des « Chansons » est aussi celle de Verhaeren lui-même, sorti depuis peu d'une terrible dépression qui bouleversa sa vision du monde et le priva irrémédiablement du secours d'une foi chrétienne cultivée depuis l'enfance. Naguère représentant d'une Flandre rurale dont il peignait la solide santé dans *Les Flamandes*, le poète se perçoit désormais comme en exil de ce monde ancien où il ne retrouve plus ses repères. Christ païen, il endosse la folie des campagnes, dont il vit et crie la souffrance dans le morcellement de son corps et la douleur de sa « tête », traversée par les vents et peuplée de « rats noirs ». De ce douloureux déchirement est né son pouvoir de voyant : lui seul comprend que, loin de fertiliser la terre, les morts ne sont que putréfaction stérile car les temps nouveaux ont irrémédiablement relégué le passé dans les abîmes de l'Histoire. Lui seul sait que « Vœux et larmes sont superflus ». Le voyant, devenu augure (« Je suis celui qui vaticine / Comme les tours tocsinent »), prédit le pire : « Au long des soirs et des années, / Les fronts et les bras obstinés / Se buteront en vain aux destinées ; / Irrémissiblement, / Le sol et les germes sont damnés. » En vain le fou en lui réclame-t-il le retour de la raison (« Moi / Je veux être / Le maître / D'une cervelle colossale »). Pas plus que l'Histoire, le poète ne peut revenir en arrière, et si son idyllique vision antérieure du monde est tout aussi morte que l'avenir des campagnes, qu'il garde au moins sa dignité (« Chanson de fou » n° 4) :

》 Je suis le fou des longues plaines,
Infiniment, que bat le vent
À grands coups d'ailes,
Comme les peines éternelles ;
Le fou qui veut rester debout,
Avec sa tête jusqu'au bout
Des temps futurs, où Jésus-Christ
Viendra juger l'âme et l'esprit,
Comme il est dit. **》**

Textes à l'appui

La ville

« *Tous les chemins vont vers la ville.*

Du fond des brumes,
Avec tous ses étages en voyage
Jusques au ciel, vers de plus hauts étages,
Comme d'un rêve, elle s'exhume.

Là-bas,
Ce sont des ponts musclés de fer,
Lancés, par bonds, à travers l'air;
Ce sont des blocs et des colonnes
Que décorent Sphinx et Gorgones*;
Ce sont des tours sur des faubourgs;
Ce sont des millions de toits
Dressant au ciel leurs angles droits :
C'est la ville tentaculaire,
Debout,
Au bout des plaines et des domaines.
[...]
C'est la ville tentaculaire,
La pieuvre ardente et l'ossuaire
Et la carcasse solennelle.

Et les chemins d'ici s'en vont à l'infini
Vers elle. »

Les plaines

« Sous la tristesse et l'angoisse des cieux
Les lieues
S'en vont autour des plaines;

Sous les cieux bas
Dont les nuages traînent
Immensément, les lieues
Se succèdent, là-bas.
[...]
C'est la plaine, la plaine
Sinistrement, à perdre haleine,
C'est la plaine et sa démence
Que sillonnent des vols immenses
De cormorans criant la mort
À travers l'ombre et la brume des Nords;
C'est la plaine, la plaine
Mate et longue comme la haine,
La plaine et le pays sans fin
Où le soleil est blanc comme la faim,
Où pourrit aux tournants du fleuve solitaire,
Dans la vase, le cœur antique de la terre. >>

Les Villes tentaculaires
(1895)

Au poète
Henri de Régnier

LA PLAINE

1 *La plaine est morne, avec ses clos, avec ses granges*
Et ses fermes dont les pignons sont vermoulus,
La plaine est morne et lasse et ne se défend plus,
La plaine est morne et morte – et la ville la mange.

5 *Formidables et criminels,*
Les bras des machines diaboliques,
Fauchant les blés évangéliques,
Ont effrayé le vieux semeur mélancolique
Dont le geste semblait d'accord avec le ciel.

10 *L'orde[1] fumée et ses haillons de suie*
Ont traversé le vent et l'ont sali :
Un soleil pauvre et avili
S'est comme usé en de la pluie.

Et maintenant, où s'étageaient les maisons claires
15 *Et les vergers et les arbres parsemés d'or,*
On aperçoit, à l'infini, du sud au nord,
La noire immensité des usines rectangulaires.

1. Orde : sale, repoussante, féminin de *ord* (archaïsme).

Telle une bête énorme et taciturne
Qui bourdonne derrière un mur,
20 Le ronflement s'entend, rythmique et dur,
Des chaudières et des meules nocturnes ;
Le sol vibre, comme s'il fermentait,
Le travail bout comme un forfait,
L'égout charrie une fange velue
25 Vers la rivière qu'il pollue ;
Un supplice d'arbres écorchés vifs
Se tord, bras convulsifs,
En façade, sur le bois proche ;
L'ortie épuise au cœur les sablons et les oches[1],
30 Et des fumiers, toujours plus hauts, de résidus
– Ciments huileux, plâtras pourris, moellons fendus –
Au long de vieux fossés et de berges obscures
Lèvent, le soir, des monuments de pourriture.

Sous des hangars tonnants et lourds,
35 Les nuits, les jours,
Sans air ni sans sommeil,
Des gens peinent loin du soleil :
Morceaux de vie en l'énorme engrenage,
Morceaux de chair fixée, ingénieusement,
40 Pièce par pièce, étage par étage,
De l'un à l'autre bout du vaste tournoiement.
Leurs yeux sont devenus les yeux de la machine ;
Leur corps entier : front, col, torse, épaules, échine,
Se plie aux jeux réglés du fer et de l'acier ;
45 Leurs mains et leurs dix doigts courent sur des claviers

1. Oche : terre labourable clôturée de haies ou de fossés (archaïsme).

Où cent fuseaux de fil tournent et se dévident;
Et mains promptes et doigts rapides
S'usent si fort,
Dans leur effort
50 Sur la matière carnassière,
Qu'ils y laissent, à tout moment,
Des empreintes de rage et des gouttes de sang.

Dites! l'ancien labeur pacifique, dans l'Août
Des seigles mûrs et des avoines rousses,
55 Avec les bras au clair, le front debout,
Quand l'or des blés ondule et se retrousse
Vers l'horizon torride où le silence bout.

Dites! le repos tiède et les midis élus,
Tressant de l'ombre pour les siestes,
60 Sous les branches, dont les vents prestes
Rythment, avec lenteur, les grands gestes feuillus.
Dites, la plaine entière ainsi qu'un jardin gras,
Toute folle d'oiseaux éparpillés dans la lumière,
Qui la chantent, avec leurs voix plénières,
65 Si près du ciel qu'on ne les entend pas.

Mais aujourd'hui, la plaine? – elle est finie;
La plaine est morne et ne se défend plus :
Le flux des ruines et leur reflux
L'ont submergée, avec monotonie.

70 On ne rencontre, au loin, qu'enclos rapiécés
Et chemins noirs de houille et de scories
Et squelettes de métairies
Et trains coupant soudain les villages en deux.

Les Madones ont tu leurs voix d'oracle
75 Au coin du bois, parmi les arbres ;
Et les vieux saints et leurs socles de marbre
Ont chu dans les fontaines à miracles.

Et tout est là, comme des cercueils vides,
– Seuils et murs lézardés et toitures fendues –
80 Et tout se plaint ainsi que les âmes perdues
Qui sanglotent le soir dans la bruyère humide.

Hélas ! la plaine, hélas ! elle est finie !
Et ses clochers sont morts et ses moulins perclus.
La plaine, hélas ! elle a toussé son agonie
85 Dans les derniers hoquets d'un angelus.

L'ÂME DE LA VILLE

1 Les toits semblent perdus
Et les clochers et les pignons fondus,
Dans ces matins fuligineux et rouges,
Où, feu à feu, des signaux bougent.

5 Une courbe de viaduc énorme
Longe les quais mornes et uniformes;
Un train s'ébranle immense et las.

Là-bas,
Un steamer[1] rauque avec un bruit de corne.

10 Et par les quais uniformes et mornes,
Et par les ponts et par les rues,
Se bousculent, en leurs cohues,
Sur des écrans de brumes crues,
Des ombres et des ombres.

---

1. Steamer : bateau à vapeur généralement destiné à la navigation fluviale.

15 Un air de soufre et de naphte s'exhale ;
   Un soleil trouble et monstrueux s'étale ;
   L'esprit soudainement s'effare
   Vers l'impossible et le bizarre ;
   Crime ou vertu, voit-il encor
20 Ce qui se meut en ces décors,
   Où, devant lui, sur les places, s'exalte
   Ailes grandes, dans le brouillard
   Un aigle noir avec un étendard,
   Entre ses serres de basalte.

25 Ô les siècles et les siècles sur cette ville,
   Grande de son passé
   Sans cesse ardent – et traversé,
   Comme à cette heure, de fantômes !
   Ô les siècles et les siècles sur elle,
30 Avec leur vie immense et criminelle
   Battant – depuis quels temps ? –
   Chaque demeure et chaque pierre
   De désirs fous ou de colères carnassières !

   Quelques huttes d'abord et quelques prêtres :
35 L'asile à tous, l'église et ses fenêtres
   Laissant filtrer la lumière du dogme sûr
   Et sa naïveté vers les cerveaux obscurs.
   Donjons dentés, palais massifs, cloîtres barbares ;
   Croix des papes dont le monde s'effare ;
40 Moines, abbés, barons, serfs et vilains ;
   Mitres d'orfroi, casques d'argent, vestes de lin ;
   Luttes d'instincts, loin des luttes de l'âme
   Entre voisins, pour l'orgueil vain d'une oriflamme ;
   Haines de sceptre à sceptre et monarques faillis

45 Sur leur fausse monnaie ouvrant leurs fleurs de lys,
Taillant le bloc de leur justice à coups de glaive
Et la dressant et l'imposant, grossière et brève.

Puis, l'ébauche, lente à naître, de la cité :
Forces qu'on veut dans le droit seul planter ;
50 Ongles du peuple et mâchoires de rois ;
Mufles crispés dans l'ombre et souterrains abois
Vers on ne sait quel idéal au fond des nues ;
Tocsins brassant, le soir, des rages inconnues ;
Flambeaux de délivrance et de salut, debout
55 Dans l'atmosphère énorme où la révolte bout ;
Livres dont les pages, soudain intelligibles,
Brûlent de vérité, comme jadis les Bibles ;
Hommes divins et clairs, tels des monuments d'or
D'où les événements sortent armés et forts ;
60 Vouloirs nets et nouveaux, consciences nouvelles
Et l'espoir fou, dans toutes les cervelles,
Malgré les échafauds, malgré les incendies
Et les têtes en sang au bout des poings brandies.

Elle a mille ans la ville,
65 La ville âpre et profonde ;
Et sans cesse, malgré l'assaut des jours
Et des peuples minant son orgueil lourd,
Elle résiste à l'usure du monde.
Quel océan, ses cœurs ! quel orage, ses nerfs !
70 Quels nœuds de volontés serrés en son mystère !
Victorieuse, elle absorbe la terre,
Vaincue, elle est l'attrait de l'univers ;
Toujours, en son triomphe ou ses défaites,
Elle apparaît géante, et son cri sonne et son nom luit,

75 Et la clarté que font ses feux d'or dans la nuit
Rayonne au loin, jusqu'aux planètes !

Ô les siècles et les siècles sur elle !

Son âme, en ces matins hagards,
Circule en chaque atome
80 De vapeur lourde et de voiles épars,
Son âme énorme et vague, ainsi que ses grands dômes
Qui s'estompent dans le brouillard.
Son âme errante en chacune des ombres
Qui traversent ses quartiers sombres,
85 Avec une ardeur neuve au bout de leur pensée,
Son âme formidable et convulsée,
Son âme, où le passé ébauche
Avec le présent net l'avenir encor gauche.

Ô ce monde de fièvre et d'inlassable essor
90 Rué, à poumons lourds et haletants,
Vers on ne sait quels buts inquiétants ?
Monde promis pourtant à des lois d'or,
À des lois claires, qu'il ignore encor
Mais qu'il faut, un jour, qu'on exhume,
95 Une à une, du fond des brumes.
Monde aujourd'hui têtu, tragique et blême
Qui met sa vie et son âme dans l'effort même
Qu'il projette, le jour, la nuit,
À chaque heure, vers l'infini.

100 Ô les siècles et les siècles sur cette ville !

Le rêve ancien est mort et le nouveau se forge.
Il est fumant dans la pensée et la sueur
Des bras fiers de travail, des fronts fiers de lueurs,
Et la ville l'entend monter du fond des gorges
105 De ceux qui le portent en eux
Et le veulent crier et sangloter aux cieux.

Et de partout on vient vers elle,
Les uns des bourgs et les autres des champs,
Depuis toujours, du fond des loins;
110 Et les routes éternelles sont les témoins
De ces marches, à travers temps,
Qui se rythment comme le sang
Et s'avivent, continuelles.

Le rêve! il est plus haut que les fumées
115 Qu'elle renvoie envenimées
Autour d'elle, vers l'horizon;
Même dans la peur ou dans l'ennui,
Il est là-bas, qui domine, les nuits,
Pareil à ces buissons
120 D'étoiles d'or et de couronnes noires,
Qui s'allument, le soir, évocatoires.

Et qu'importent les maux et les heures démentes,
Et les cuves de vice où la cité fermente,
Si quelque jour, du fond des brouillards et des voiles,
125 Surgit un nouveau Christ, en lumière sculpté,
Qui soulève vers lui l'humanité
Et la baptise au feu de nouvelles étoiles.

UNE STATUE[1]

On le croyait fondateur de la ville,
Venu de pays clairs et lointains,
Avec sa crosse entre les mains,
Et, sur son corps, une bure servile.

5 Pour se faire écouter il parlait par miracles,
En des clairières d'or, le soir, dans les forêts,
Où Loge et Thor[2] carraient leurs symboles épais
Et tonnaient leurs oracles.

Il était la tristesse et la douceur
10 Descendue autrefois, à genoux, du calvaire,
Vers les hommes et leur misère
Et vers leur cœur.

Il accueillait l'humanité fragile :
Il lui chantait le paradis sans fin
15 Et l'endormait dans un rêve divin,
Le front posé sur l'évangile.

1. Le sommaire précise qu'il s'agit d'une statue de moine. Les trois autres
«Statue» du recueil recevront une précision comparable.
2. Loge et Thor : dieux de la mythologie nordique.

Plus tard, le roi, le juge, et le bourreau
Prirent son verbe et le faussèrent;
Et les textes autoritaires
20 Apparurent, tels des glaives, hors du fourreau.

Contre la paix qu'il avait inclinée
Vers tous, de son geste clément,
La vie, avec des cris et des sursauts déments,
Brusque et rouge, fut dégainée.

25 Mais lui resta le clair apôtre au front vermeil,
Aux yeux remplis de patience et d'indulgence,
Et la pieuse et populaire intelligence
Puisait auprès de lui la force et le conseil.

On l'invoquait pour les fièvres et pour les peines,
30 On le fêtait en mai, au soir tombant,
Et les mères et les vieillards et les enfants
Venaient baigner leurs maux dans l'eau de sa fontaine.

Son nom large et sonore d'amour
Marquait la fin des longues litanies
35 Et des complaintes infinies
Que l'on chantait, depuis toujours.

Il se perpétuait, près d'un portail roman,
En une image usée et tremblotante,
Qui écoutait, dans la poitrine
40 Haletante des tours,
Les bourdons lourds clamer au firmament.

LES CATHÉDRALES

1   Au fond du chœur monumental,
    D'où leur splendeur s'érige
    – Or, argent, diamant, cristal –
    Lourds de siècles et de prestiges,
5   Pendant les vêpres, quand les soirs
    Aux longues prières invitent,
    Ils s'imposent, les ostensoirs,
    Dont les fixes joyaux méditent.

    Ils conservent, ornés de feu,
10   Pour l'universelle amnistie,
    Le baiser blanc du dernier Dieu,
    Tombé sur terre en une hostie.

    Et l'église, comme un palais de marbres noirs,
    Où des châsses d'argent et d'ombre
15   Ouvrent leurs yeux de joyaux sombres,
    Par l'élan clair de ses colonnes exulte
    Et dresse avec ses arcs et ses voussoirs
    Jusqu'au faîte, l'éternité du culte.

Dans un encadrement de grands cierges qui pleurent,
20 À travers temps et jours et heures,
Les ostensoirs
Sont le seul cœur de la croyance
Qui luise encor, cristal et or,
Dans les villes de la démence.

25 Le bourdon sonne et sonne,
À grand battant tannant,
De larges glas qui sont les râles
Et les sursauts des cathédrales.
Et les foules qui tiennent droits,
30 Pour refléter le ciel, les miroirs de leur foi,
Réunissent, à ces appels, leurs âmes,
Autour des ostensoirs de flamme.

– Ô ces foules, ces foules,
Et la misère et la détresse qui les foulent !

35 Voici les pauvres gens des blafardes ruelles,
Barrant de croix, avec leurs bras tendus,
L'ombre noire qui dort dans les chapelles.

– Ô ces foules, ces foules,
Et la misère et la détresse qui les foulent !

40 Voici les corps usés, voici les cœurs fendus,
Voici les cours lamentables des veuves
En qui les larmes pleuvent,
Continûment, depuis des ans.

– Ô ces foules, ces foules
45   Et la misère et la détresse qui les foulent !

Voici les mousses et les marins du port
Dont les vagues monstrueuses bercent le sort.

– Ô ces foules, ces foules
Et la misère et la détresse qui les foulent !

50   Voici les travailleurs cassés de peine,
Aux six coups de marteaux des jours de la semaine.

– Ô ces foules, ces foules
Et la misère et la détresse qui les foulent !

Voici les enfants las de leur sang morne
55   Et qui mendient et qui s'offrent au coin des bornes.

– Ô ces foules, ces foules
Et la misère et la détresse qui les foulent !

Voici les marguilliers[1] massifs et mous
Qui font craquer leur stalle en pliant les genoux.

60   – Ô ces foules, ces foules
Et la misère et la détresse qui les foulent !

Voici les armateurs dont les bateaux de fer,
Fortune au vent, tanguent parmi la mer.

---

1. Marguilliers : personnes chargées de l'entretien des églises.

– Ô ces foules, ces foules
65 Et la misère et la détresse qui les foulent !

Voici les grands bourgeois de droit divin
Qui bâtissent sur Dieu la maison de leur gain.

– Ô ces foules, ces foules
Et la misère et la détresse qui les foulent !

70 Les ostensoirs, qu'on élève, le soir,
Vers les villes échafaudées
En toits de verre et de cristal,
Du haut du chœur sacerdotal,
Tendent la croix des gothiques idées.

75 Ils s'imposent dans l'or des clairs dimanches
– Toussaint, Noël, Pâques et Pentecôtes blanches –
Ils s'imposent dans l'or et dans les bruits de fête
Du grand orgue battant du vol de ses tempêtes
L'autel de marbre rouge et ses piliers vermeils ;
80 Ils sont une âme en du soleil,
Qui vit de vieux décor et d'antique mystère
Autoritaire.

Pourtant, dès que s'éteignent les grands cierges
Et les lampes veillant le cœur des saintes vierges,
85 Un deuil d'encens évaporé flotte et s'empreint
Sur les châsses d'argent et les tombeaux d'airain ;
Et les vitraux, peuplés de siècles rassemblés
Devant le Christ – avec leurs papes immobiles
Et leurs martyrs et leurs héros – semblent trembler
90 Au bruit d'un train lointain qui roule sur la ville.

UNE STATUE[1]

1 **A**u carrefour des abattoirs et des casernes,
   Il apparaît, foudroyant et vermeil,
   Le sabre en bel éclair dans le soleil.

   Masque d'airain, bicorne d'or ;
5 Et l'horizon, là-bas, où le combat se tord,
   Devant ses yeux hallucinés de gloire

   Un élan fou, un bond brutal
   Jette en avant son geste et son cheval
   Vers la victoire.

10 Il est volant comme une flamme,
   Ici, plus loin, au bout du monde,
   Qui le redoute et qui l'acclame.

   Il entraîne, pour qu'en son rêve ils se confondent,
   Dieu, son peuple, ses soldats ivres ;
15 Les astres mêmes semblent suivre,

1. Le sommaire précise qu'il s'agit d'une statue de soldat.

Si bien que ceux
Qui se liguent pour le maudire
Restent béants : et son vertige emplit leurs yeux.

Il est de calcul froid, mais de force soudaine :
20 Des fers de volonté barricadent le seuil
Infrangible de son orgueil.

Il croit en lui – et qu'importe le reste !
Pleurs, cris, affres et noire et formidable fête,
Avec lesquels l'histoire est faite.

25 Il est la mort fastueuse et lyrique,
Montrée, ainsi qu'une conquête,
Au bout d'une existence en feu et en tempête.

Il ne regrette rien de ce qu'il accomplit,
Sinon que les ans brefs aillent trop vite
30 Et que la terre immense soit petite.

Il est l'idole et le fléau :
Le vent qui souffle autour de son front clair
Toucha celui des Dieux armés d'éclairs.

Il sent qu'il passe en brusque orage et que sa destinée
35 Est de tomber comme un écroulement,
Le jour où son étoile étrange et effrénée,
Cristal rouge, se cassera au firmament.

Au carrefour des abattoirs et des casernes,
Il apparaît, foudroyant et vermeil,
40 Le sabre en bel éclair dans le soleil.

LE PORT

1 **T**oute la mer va vers la ville !

Son port est surmonté d'un million de croix :
Vergues transversales barrant de grands mâts droits.

Son port est pluvieux de suie à travers brumes,
5 Où le soleil comme un œil rouge et colossal larmoie.

Son port est ameuté de steamers noirs qui fument
Et mugissent, au fond du soir, sans qu'on les voie.

Son port est fourmillant et musculeux de bras
Perdus en un fouillis dédalien d'amarres.

10 Son port est tourmenté de chocs et de fracas
Et de marteaux tonnant dans l'air leurs tintamarres.

Toute la mer va vers la ville !

Les flots qui voyagent comme les vents,
Les flots légers, les flots vivants,

15 Pour que la ville en feu l'absorbe et le respire
Lui rapportent le monde en leurs navires.
Les Orients et les Midis tanguent vers elle
Et les Nords blancs et la folie universelle
Et tous nombres dont le désir prévoit la somme.
20 Et tout ce qui s'invente et tout ce que les hommes
Tirent de leurs cerveaux puissants et volcaniques
Tend vers elle, cingle vers elle et vers ses luttes :
Elle est le brasier d'or des humaines disputes,
Elle est le réservoir des richesses uniques
25 Et les marins naïfs peignent son caducée
Sur leur peau rousse et crevassée,
À l'heure où l'ombre emplit les soirs océaniques.

Toute la mer va vers la ville !

Ô les Babels enfin réalisées !
30 Et cent peuples fondus dans la cité commune ;
Et les langues se dissolvant en une ;
Et la ville comme une main, les doigts ouverts,
Se refermant sur l'univers !

Dites ! les docks bondés jusques au faîte
35 Et la montagne, et le désert, et les forêts,
Et leurs siècles captés comme en des rets ;
Dites ! leurs blocs d'éternité : marbres et bois,
Que l'on achète,
Et que l'on vend au poids ;
40 Et puis, dites ! les morts, les morts, les morts
Qu'il a fallu pour ces conquêtes.

Toute la mer va vers la ville !

La mer pesante, ardente et libre,
Qui tient la terre en équilibre;
45 La mer que domine la loi des multitudes,
La mer où les courants tracent les certitudes;
La mer et ses vagues coalisées,
Comme un désir multiple et fou,
Qui renversent des rocs depuis mille ans debout
50 Et retombent et s'effacent, égalisées;
La mer dont chaque lame ébauche une tendresse
Ou voile une fureur; la mer plane ou sauvage;
La mer qui inquiète et angoisse et oppresse
De l'ivresse de son image.

55 Toute la mer va vers la ville!

Son port est parsemé et scintillant de feux
Et sillonné de rails fuyants et lumineux.

Son port est ceint de tours rouges dont les murs sonnent
D'un bruit souterrain d'eau qui s'enfle et ronfle en elles.

60 Son port est lourd d'odeurs de naphte[1] et de carbone
Qui s'épandent, au long des quais, par les ruelles.

Son port est fabuleux de déesses sculptées
À l'avant des vaisseaux dont les mâts d'or s'exaltent.

Son port est solennel de tempêtes domptées
65 En des havres d'airain, de grès et de basalte.

1. Naphte : pétrole brut.

Arrêt ^{sur} lecture 1

De la plaine au port, un espace traversé de lignes en mouvement

L'itinéraire urbain commence par une vision d'ensemble de la ville. Dans un survol de la plaine couverte «à l'infini [par] la noire immensité des usines», un mouvement panoramique surplombe un paysage de toits, de clochers et de «grands dômes». Sous la plume de Verhaeren, la peinture de la ville en croissance infinie s'effectue dans un jeu de lignes verticales et horizontales.

L'énergie ascensionnelle

Les lignes de la topographie urbaine suivent l'axe vertical des bâtisseurs qui ont érigé «les villes échafaudées / En toits de verre et de cristal» («Les Cathédrales»). Dans le port, «les grands mâts droits», «les mâts d'or» sont signes de richesse. Une énergie lumineuse dresse vers le ciel «un monde promis [...] à des lois d'or [...] qu'on exhume [...] du fond des brumes» («L'Âme de la ville»). Le poète suit ainsi dans les cathédrales «l'élan clair [qui] exulte / Et dresse [...] Jusqu'au faîte, l'éternité du culte».

Le motif de l'arbre apparaît lui aussi comme une force vivante drainant la vie de la terre au ciel; «les arbres parsemés d'or» de l'ancienne plaine ont disparu, mais ils sont remplacés par les «buissons / D'étoiles d'or» («L'Âme de la ville»).

L'effondrement

Quand le regard du poète plonge vers le bas, un mouvement de chute sur la plaine, «sous les hangars tonnants» ou «au fond du chœur» des cathédrales suscite des images d'anéantissement et de perdition : «cercueils vides» («La Plaine»), «cuves de vice» dans «la ville âpre et profonde» («L'Âme de la ville»). Les fondateurs initiaux, «taillant le bloc de leur justice à coups de glaive / Et la dressant» pour imposer leurs «forces qu'on veut dans le droit seul planter», ont édifié la ville sur des bases fragiles : les «socles de marbre» portant les statues des saints «ont chu» dans la plaine, et la statue du soldat est menacée de ruine, car «sa destinée / Est de tomber comme un écroulement, / Le jour où son étoile […] se cassera». Enfin, la ville profite de l'ouverture sur la mer, mais ses vagues «renversent des rocs depuis mille ans debout», et le port est «tourmenté de chocs et de fracas». Ainsi se profilent le long des axes verticaux la menace du mal ainsi que les risques d'éboulements et de cassures : la ville-échafaudage s'édifie dans un élan suicidaire.

Parcourir la ville comme nous y invitent les premiers poèmes des *Villes tentaculaires*, c'est aussi suivre les lignes horizontales tracées par les organes d'une entité monstrueuse qui étend ses bras «formidables» dans la plaine et qui les replie vers son centre, selon une double dynamique.

La puissance d'expansion

La ville ne cesse de dépasser ses limites. D'emblée, elle efface les campagnes, qu'elle recouvre d'une «noire immensité». Elle imprime sa géométrie sur l'espace en étirant ses lignes toujours plus loin, «par les quais uniformes et mornes / Et par les ponts et par les rues» («L'Âme de la ville»). Cette expansion évoque une force aquatique qui se répand comme un déluge : «Le flux des ruines et leur reflux / L'ont submergée.» C'est aussi une force qui brise, découpant l'espace naturel par les lignes qu'elle impose : on voit ainsi surgir dans la plaine des «trains coupant soudain les villages en deux» dans un élan agressif et tranchant.

La puissance d'absorption

Exerçant une force d'attraction irrépressible, la ville attire à elle les éléments qui composent le monde : «elle absorbe la terre […], elle est l'attrait de l'univers» («La Ville»). Carrefour des voies de communication, confluent des flux de richesses, la ville est un microcosme qui concentre tout ce «dont le désir prévoit la somme» («Le Port»). Elle rassemble en son centre tous les hommes : non seulement «de partout on vient vers elle» («L'Âme de la ville»), mais dans la foule qui se presse au cœur de la ville, dans les cathédrales, toutes les catégories humaines sont recensées par le poète :

> Voici les pauvres gens...
> Voici les mousses et les marins...
> Voici les travailleurs...
> Voici les enfants...
> Voici les armateurs...
> Voici les grands bourgeois...

Les six premiers poèmes des *Villes tentaculaires* nouent un premier contact vertigineux avec une force vivante. Ils déploient sous nos yeux la cartographie d'un univers qui se dresse en s'écroulant et qui aspire tout en envahissant. Dans un ample survol, nous sommes conviés à plonger au cœur d'un réseau effarant de lignes animées de tensions contradictoires. Laissons-nous guider par le poète sur cette carte des villes où les repères tendent à s'abolir.

Pour une lecture : «La Plaine»

À quel itinéraire le poème liminaire du recueil consacré à la modernité urbaine nous convie-t-il ? Les six premières strophes de «La Plaine» nous font suivre le parcours d'un regard attentif aux transformations de la campagne en un espace industriel et mettent en place les thèmes qui seront développés dans les vingt poèmes des *Villes tentaculaires*.

1 – Observation des changements affectant la nature

a) Le parcours du regard :

Le champ de vision est d'emblée entièrement occupé par l'image de la plaine ; le titre au singulier générique repris en anaphore* et l'énumération au pluriel des différents lieux s'étirant sur un enjambement* nous font survoler la plaine dans une vision panoramique, « … avec ses clos, avec ses granges / Et ses fermes ». La reprise du premier hémistiche* « La plaine est morne » à la fin du quatrain joue sur l'homophonie : « La plaine est morne et morte. » Le survol en plan général de la plaine uniforme nous introduit dans un espace irrémédiablement mort. À ce mouvement panoramique du regard se superpose, dans la quatrième strophe, une autre vision qui efface l'image de la plaine : le passé lumineux « où s'étageaient les maisons claires / Et les vergers et les arbres parsemés d'or » disparaît sous un sombre présent qui vient recouvrir et obscurcir la totalité de l'espace : « On aperçoit, à l'infini, du sud au nord, / La noire immensité des usines rectangulaires. » La vision, préparée dès la troisième strophe par la dégradation de la lumière d'« un soleil pauvre et avili », se poursuit dans un mouvement d'expansion « vers la rivière » (v. 25), « au long des vieux fossés » (v. 32). Les cinquième et sixième strophes, s'allongeant respectivement sur seize et dix-neuf vers, peignent un sombre tableau avec ses « meules nocturnes » (v. 21) et ses « berges obscures » (v. 32) avant la plongée au cœur de ses usines noires. Le regard pénètre alors dans l'univers du travail « sous des hangars tonnants et lourds » (v. 34), circule « pièce par pièce, étage par étage » (v. 40), découvre la présence des « gens » au labeur, puis s'arrête en gros plan sur « des gouttes de sang » (v. 52).

b) Le réalisme descriptif :

La réalité de l'exode rural s'inscrit dès l'ouverture du recueil dans l'abandon par leurs habitants des fermes « dont les pignons sont vermoulus » (v. 2) et l'abandon par les paysans des terres cultivables livrées à « l'ortie [qui] épuise au cœur les sablons et les oches » (v. 29). L'emploi de termes prosaïques* à tonalité dépréciative témoigne de l'impact négatif de l'activité industrielle sur la campagne : aux blés et aux vergers du passé (strophes 2 et 4) s'est substitué un paysage souillé où « l'égout charrie une fange velue» (vers 24), et l'agonie de la plaine contaminée par la pollution se mesure à travers la prolifération des «fumiers» et des «résidus» dressant «des monuments de pourriture» (v. 30 et 33). La description adopte un registre naturaliste quand le poète énumère d'un ton quasi documentaire les déchets qui dégradent le paysage : «– Ciments huileux, plâtras pourris, moellons fendus –» (v. 31). Dans cet alexandrin au rythme ternaire, la reprise des masses bisyllabiques vient marteler l'arrêt de mort irrévocable de la campagne. De la vision extérieure à la vision intérieure, Verhaeren montre le processus d'industrialisation du monde contemporain et les réalités des industries sidérurgiques et textiles : implantation des usines près des cours d'eau dans un réseau d'égouts, rivières, fossés et berges (strophe 5), conditions de travail harassantes de nuit comme de jour, environnement dominé par le fer et l'acier, rythmes imposés par les claviers, les fuseaux (strophe 6) : tel est le tableau du monde moderne.

Le circuit du regard adopté par le poète est donc à la fois spatial et temporel; la description panoramique de l'expansion des usines, à l'entrée du recueil, est un adieu à l'âge d'or de la vie aux champs, et Verhaeren fait entrer en poésie tout un pan de la réalité sociale de son temps.

2 – La transfiguration du réel

a) Les signes de la monstruosité :

Le caractère monstrueux que le titre confère à l'extension des villes est exploité par Verhaeren dès le premier quatrain dont l'hémistiche final, mis en relief par le tiret qui marque l'antagonisme inconciliable entre plaine et ville, annonce le thème de la dévoration : «– et la ville la mange». La ville dont parle Verhaeren est un organisme vivant qui absorbe la campagne et transforme ses habitants en ouvriers devenus des proies. La métaphore filée* qui la personnifie se déploie inéluctablement : les usines se nourrissent des «morceaux de chair» (v. 39) des travailleurs qui se blessent «sur la matière carnassière» (v. 50) des machines, et qui abreuvent de leur sang le monstre prédateur. C'est en effet un monstre qui surgit de la comparaison* aux vers 18 à 20 : «Telle une bête énorme [...] Le ronflement s'entend...» Ces vers évoquent l'environnement tonitruant des usines, préparent l'entrée dans les «hangars tonnants» (v. 34) et renforcent l'image auditive par une série d'allitérations en *r* comme l'écho d'une présence animale menaçante. Pourtant le monstre «taciturne» se tait, à l'abri «derrière un mur», repu, digérant avec indifférence la vie qu'il a absorbée, se reposant en ronflant pendant que les ouvriers travaillent «sans air ni sommeil» (v. 36). Car le monstre reste vigilant, surveillant sa proie «ingénieusement» (v. 39), en maître des «jeux réglés du fer et de l'acier» (v. 44). Monstrueux par sa taille «énorme» (v. 18), il ne cesse d'agrandir son territoire, au cœur de l'«énorme engrenage» (v. 38) et dehors, «à l'infini» (v. 16). Monstrueux par ses déjections, il diffuse son venin, «une fange velue» qui empoisonne les cours d'eau et dépose ses détritus mortifères en entassements qui s'élèvent vers le ciel (v. 30 à 33). Ville, usine ou machine, cette entité monstrueuse rejette autant qu'elle ingère, déployant ses ramifications dans l'air, dans l'eau et sur la terre.

b) L'enfer réservé aux hommes :

L'homme en harmonie avec l'univers a déserté la plaine : «le vieux semeur mélancolique / Dont le geste semblait d'accord avec le ciel» (v. 8-9) est perdu dans un passé révolu. À l'être humain s'oppose à présent une masse collective sans individualité, faite de «gens» enfermés dans une atmosphère confinée, privés d'air, de repos et de lumière (v. 35 à 37), soumis aux cadences du «ronflement [...] rythmique», réduits aux automatismes imposés par «l'énorme engrenage», contraints de soumettre «leur corps entier» aux machines. Ces êtres sans visage, sans nom et sans voix sont déshumanisés : l'anaphore du mot «morceaux» prépare leur réduction à l'état d'animal.

Tel est donc le témoignage de Verhaeren : le vécu quotidien des ouvriers est cet enfer où les usines, par un phénomène de transfert impitoyable, se mettent à vivre de leur vie qu'elles aspirent; l'ensemble de la sixième strophe met en place ce processus par le biais d'hypallages* soulignant le transfert des attributs de l'homme à la machine qui dérobe aux travailleurs leurs yeux, leurs mains, leurs doigts.

3 – Une écriture du brassage

a) L'inspiration mythique :

L'imaginaire de Verhaeren puise dans plusieurs sources mythiques qui prêtent une force puissante à la critique de la modernité industrielle. Non seulement le dépérissement de la plaine évoque le mythe de l'âge d'or perdu et l'avènement de l'âge de fer, mais la référence à Hésiode* se double d'une référence biblique : dans la deuxième strophe, le geste du semeur semble arrêté net à cause de l'action du diable «fauchant les blés évangéliques», niant ainsi les bienfaits de Dieu. Les traces de la colère divine sont repérables dans la transformation infligée aux « arbres parsemés d'or » sacrifiés en « un supplice d'arbres écorchés vifs», et l'on peut voir dans le mouvement de plongée du regard la reproduction de la chute dans le péché d'une humanité condamnée au « travail [qui] bout comme un forfait ». Quant au calvaire auquel sont réduits les hommes contraints de subir les tortures des machines et des chaudières, il ne peut manquer d'évoquer le châtiment de Prométhée*, enchaîné pour avoir volé le feu aux dieux et l'avoir donné aux hommes. Enfin, les déjections monstrueuses polluant l'égout et la rivière rappellent les Harpyes* qui souillaient tout de leurs excréments. Les détritus malsains qui encombrent les «berges obscures» font du cours d'eau un véritable Achéron* dont la traversée conduit à la mort. Les images disséminées dans ces vers se nourrissent de divers mythes antiques mêlés à des allusions bibliques et permettent au poète de présenter un nouvel enfer sur terre.

b) Des esthétiques mêlées :

Les différents registres, alliant le réalisme documentaire, le naturalisme des éléments prosaïques* et la compassion pour la nature et les hommes usés et avilis, se fondent dans la peinture expressionniste d'un univers nocturne où la nature est tourmentée et déformée par « le supplice d'arbres [qui] se tord[ent], bras convulsifs ». La vision des hommes, dans un cadre sinistre et oppressant, emprunte au décadentisme la marque du désespoir, muré dans le silence qu'inflige le vacarme des machines. Enfin l'omniprésence du monstre dévoreur place l'ensemble du tableau sous un éclairage fantastique. À la croisée de ces influences esthétiques, Verhaeren offre en outre une vision géométrique de l'extension horizontale des villes, « à l'infini », et de l'expansion verticale « des fumiers, toujours plus hauts, de résidus ».

Dans une ouverture aux accents puissants, Verhaeren nous propose donc la peinture d'une modernité inquiétante dont il s'attache à restituer la violence des sons et des images, tout en prenant en charge la « rage » étouffée d'hommes sacrifiés.

à vous...

Observez la deuxième partie de « La Plaine » :

1 – Relevez les éléments réalistes présents dans les strophes 5 et 6.

2 – Précisez le lien entre monstruosité et pollution.

3 – Quel est le rôle des modalités dans l'évolution des registres aux vers 53, 58, 66, 82 et 84 ?

4 – Comment peut-on interpréter l'apparition du pronom « on » au vers 70 ?

« L'Âme de la ville » : une ouverture en forme de fresque historique

Le poème liminaire du recueil semble dresser le constat de la mort de la civilisation agricole, confirmée dans le poème suivant, première pièce s'efforçant de capturer « L'Âme de la ville » après le prologue consacré à « La Plaine » : « Le rêve ancien est mort et le nouveau se forge » (v. 101). Observer et peindre la ville, c'est parcourir des yeux la trajectoire du temps, visible dans l'espace. Avant de s'étirer à l'infini, la ville est d'abord un centre, où l'on plonge vers les origines, et d'où l'on découvre l'horizon de l'avenir. On entre ainsi dans une dimension histo-

Autre peintre belge, James Ensor (1860-1949) représente la foule massée près d'une cathédrale. Le bâtiment s'élève vers le ciel tandis que les groupes humains sont massés au sol.

rique « où le passé ébauche / Avec le présent net l'avenir encor gauche » (v. 87-88).

Les lignes verticales des constructions édifiées par les hommes marquent les étapes chronologiques de l'histoire des villes, condensée dans « L'Âme de la ville ». Le premier édifice cité est « l'asile », le lieu inviolable, qui prend la forme et le nom d'« église », mot dont la racine (lier) souligne la fonction de rassemblement (v. 35). S'élèvent ensuite les « donjons dentés, palais massifs, cloîtres barbares » qui délimitent des enceintes – ce que rappelle l'étymologie latine de « cloître » (*claustrum*, « l'enceinte »). Ainsi apparaît « l'ébauche, lente à naître, de la cité », regroupant les citoyens autour de la loi qu'il faut « planter » : la ville est donc le berceau de la civilisation.

Tout en s'érigeant, la ville accumule sur elle le poids du passé, comme le montre l'exclamation qui traverse le poème : « Ô les siècles et les siècles sur elle ! » Mais loin de freiner son élan constructeur, le poids de ses « mille ans » stimule son « inlassable essor » et alimente le nouveau rêve qu'elle « entend monter du fond des gorges » des hommes (v. 114-116) :

> Le rêve ! il est plus haut que les fumées
> Qu'elle renvoie envenimées
> Autour d'elle, vers l'horizon.

Le poète n'incite pas pour autant au culte aveugle de la modernité, car il montre au fond des cathédrales une population maintenant malmenée par la civilisation (« Les Cathédrales ») :

> – Ô ces foules, ces foules,
> Et la misère et la détresse qui les foulent !

Que promet donc l'avenir ? L'industrialisation qui produit « l'orde fumée » (« La Plaine », v. 10) assombrit l'horizon. Le présent est sale, la nature se dégrade, les hommes sont dénaturés. Mais il existe aussi des « Vouloirs nets et nouveaux, consciences nouvelles / Et l'espoir fou » (« L'Âme de la ville », v. 60) qui illuminent l'horizon « d'étoiles d'or » (v. 120) : signes possibles de l'avènement de la raison ou allégorie* du rêve socialiste en faveur duquel s'est engagé Verhaeren, qui exprime ainsi sa foi dans ce qui va naître.

à vous...

Lecture cursive de «L'Âme de la ville» : caractérisez le parcours du regard.

Les «Statues», allégories des pouvoirs

La mythique Méduse* avait le pouvoir de statufier les hommes; la pieuvre de la ville moderne retient elle aussi dans ses gigantesques tentacules la représentation figée des quelques grandes figures emblématiques qui ont marqué son histoire. Quatre «statues» ponctuent ainsi le parcours du lecteur au cœur des *Villes tentaculaires*. Baptisées uniformément «Une statue» et condamnées à un anonymat que le sommaire du recueil ne lève qu'en partie, elles n'ont pas la fonction de célébration d'individus illustres qu'on leur voit assumer d'ordinaire : «moine», «soldat», «bourgeois» et «apôtre», elles incarnent davantage un type social qu'elles ne représentent un particulier, grand homme ou bienfaiteur de la cité. En somme, toutes sont des allégories* tentant de saisir l'essence d'une figure qui, surgie à un moment précis de l'histoire du monde, accède néanmoins à une intemporalité qui la rend éternelle. La statuaire de Verhaeren, grand admirateur de Rodin, inscrit dans le tourbillon des activités urbaines l'image immobile des forces et des pouvoirs qui, en s'opposant, ont façonné le monde humain.

Le moine : mort du sacré

Du fond des âges semble remonter la figure du moine, immortalisée par la première des quatre «statues» du recueil, et témoin d'une époque révolue – comme l'indique l'usage exclusif de temps du passé, imparfait, plus-que-parfait, passé simple. «On le croyait fondateur de la ville» (v. 1) et sans doute les âmes primitives confondaient-elles ce moine des temps immémoriaux avec saint Pierre, premier émissaire du Christ qui lui avait confié la mission de «bâtir [son] Église» et, selon la tradition, premier évêque de Rome, ainsi doté d'une «crosse». Pierre le fondateur, Pierre la première pierre d'un édifice spirituel à construire, Pierre le missionnaire et le berger, apaisant la misère du troupeau des fidèles (v. 9-11) :

> Il était la tristesse et la douceur
> Descendue autrefois [...]
> Vers les hommes et leur misère.

Au vrai, Verhaeren mêle ici plusieurs figures en une : le Christ «descend[u] autrefois à genoux du calvaire», l'«apôtre au front vermeil» et le moine vêtu d'«une bure servile», tous en butte à la survivance de cultes païens évoqués à travers les divinités nordiques Loge et Thor et, «plus tard», à l'autorité profane et cruelle des rois, des juges et des bourreaux. Surmontant les brutalités de l'histoire avec «patience» et «indulgence», fidèle à son rôle de dispensateur de «force» et d'«espérances», cette figure christique incarnait une stabilité ancienne dont on sent le poète nostalgique comme d'un âge d'or à jamais disparu. Cet âge d'or est celui de l'enfance; la sienne, d'abord, passée au cœur d'une petite ville de province cernée par la paisible et pieuse campagne, celle de l'humanité, ensuite, appliquant sur ses plaies morales le souverain baume des Évangiles (v. 31-32) :

> Et les mères et les vieillards et les enfants
> Venaient baigner leurs maux dans l'eau de sa fontaine.

Si la figure christique s'est un temps perpétuée, «près d'un portail roman, / En une image usée et tremblotante», elle appartient désormais au passé – ainsi que l'exprime le maintien final de l'imparfait. Son souvenir appelle tout naturellement l'évocation des «Cathédrales» pour clore, avec une remarquable logique dans la construction, la partie du recueil dédiée au sacré.

Les cathédrales appartiennent aussi aux premiers âges de l'humanité civilisée. Dans les villes, elles sont, avec leur verticalité, les vestiges architecturaux d'une transcendance oubliée. Certes des foules de fidèles se réfugient encore dans ces «palais de marbres noirs» et les ostensoirs font encore luire «le cœur de la croyance» (v. 21-24). Mais les «larges glas» que sonne leur bourdon ne sont plus que «les râles / Et les sur-sauts des cathédrales» (v. 25-28) et «les vitraux […] semblent trem-bler / Au bruit d'un train lointain qui roule sur la ville» (v. 89-90). «Dans les villes de la démence», qui réconfortera dès lors cette innombrable population «foulée» par la misère et la détresse?…

Le soldat, dieu païen de la conquête

…Ce n'est pas le soldat, dont l'effigie, deuxième du recueil, se dresse au symbolique «carrefour des abattoirs et des casernes» («Une sta-tue», v. 1, p. 40). Héros païen dont le surgissement avait été annoncé, dans «L'Âme de la ville», par ces «luttes d'instincts, loin des luttes de l'âme / Entre voisins, pour l'orgueil vain d'une oriflamme» (v. 42-43), il ne poursuit, égoïstement, que l'horizon de sa gloire. Armé d'airain, le cœur aussi dur et implacable que l'inflexible métal, il vole, comme fou, vers de futures victoires, insensible aux «pleurs, cris, affres» sur lesquels il bâtit l'histoire. Il est l'«idole» profane devant laquelle Dieu même s'incline à l'instar du cosmos (les astres) et des divinités païennes. Son activisme effréné et son panache anéantissent toute opposition, entraî-nant le peuple à la suite de «ses soldats ivres» dans un tourbillon d'ad-miration exaltée où tous plans se confondant, le profane donne l'illu-sion de s'élever au-dessus du sacré comme s'élève son «sabre en bel éclair dans le soleil» (v. 3 et v. final). L'avènement du héros guerrier marque la fin du règne divin sur la terre. L'homme s'émancipe de toute tutelle et, sa volonté de puissance libérée de tout frein moral, le voilà animé d'une soif de conquête qui fera, plus tard, la richesse des ports ouverts sur l'immensité d'une terre désormais jugée trop petite (v. 28-30) :

> Il ne regrette rien de ce qu'il accomplit,
> Sinon que les ans brefs aillent trop vite
> Et que la terre immense soit petite.

Représentation du passé, incarnant une époque sanglante où l'on combattait encore à cheval et au sabre, le soldat de la statue est en même temps une figure éternelle, encore vivante au moment où Verhaeren écrit *Les Villes tentaculaires*. À cette époque, l'Europe, Belgique comprise, connaît d'ailleurs une vague d'expansion coloniale sans précédent que les populations des vainqueurs vivent dans une euphorie sans états d'âme (voir «Histoire et Culture au temps de Verhaeren», p. 12-13). Ce ne sont pourtant pas les petites gens qui profiteront des richesses issues de l'exploitation des ressources étrangères. Parmi les visiteurs des cathédrales, seuls en bénéficient «les grands bourgeois de droit divin / Qui bâtissent sur Dieu la maison de leur gain» («Les Cathédrales», v. 66-67).

à vous...

Développez une lecture analytique du «Port». Nous vous proposons deux axes de lecture :

1 – Le port à l'entrée de la ville : un phare ;

2 – La peinture d'un espace fabuleux.
Observez le jeu des synesthésies* auquel se livre Verhaeren dans ce poème.

LE SPECTACLE

1 Au fond d'un hall sonore et radiant,
Sous les ailes énormes
Et les duvets des brumes uniformes,
Parfois, le soir, on déballe les Orients.

5 Les tréteaux clairs luisent comme des armes ;
De gros soleils en strass brillent, de loin en loin ;
Des cymbaliers hagards entrechoquent leurs poings
Et font sonner et tonner les vacarmes.
Le rideau s'ouvre : et bruit, clarté, rage, fracas,
10 Splendeur ! quand les valseurs et les valseuses roses
Apparaissent, mêlant et démêlant leurs poses,
En un taillis bougeant de gestes et de pas.

Des bataillons de danseuses en marche
Grouillent, sur des rampes ou sous des arches ;
15 Jambes, hanches, gorges, maillots, jupes, dentelles
– Attelages de rut, ou par couples blafards
Des seins bridés mais bondissants s'attellent, –
Passent, crus de sueur ou blancs de fard.
Des mains vaines s'ouvrent et se referment vite,

20 Sans but, sinon pour ressaisir
L'invisible désir,
En fuite ;
Une clownesse, la jambe au clair,
Raidit l'obscénité dans l'air ;
25 Une autre encor, les yeux noyés et les flancs fous,
Se crispe, ainsi qu'une bête qu'on foule,
Et la rampe l'éclaire et bout par en dessous
Et toute la luxure de la foule
Se soulève soudain et l'acclame, debout.

30 Ô le blasphème en or criard, qui, là, se vocifère !
Ô la brûlure à cru sur la beauté de la matière !
Ô les atroces simulacres
De l'art blessé à mort que l'on massacre !
Ô le plaisir qui chante et qui trépigne
35 Dans la laideur tordue en tons et lignes ;
Ô le plaisir humain au rebours de la joie,
Alcool pour les regards, alcool pour les pensées,
Ô le pauvre plaisir qui exige des proies
Et mord des fleurs qui ont le goût de ses nausées !

40 Jadis, il marchait nu, héroïque et placide,
Les mains fraîches, le front lucide,
Le vent et le soleil dansaient dans ses cheveux ;
Toute la vie harmonique et divine
Se réchauffait dans sa poitrine ;
45 Il la respirait fruste et l'expirait plus belle ;
Il ignorait la loi qui l'eût dressé : rebelle ;
Et l'aube et les couchants et les sources naïves
Et le frôlement vert des branches attentives
Par à travers sa chair donnaient à son âme profonde

L'universel baiser qui fait s'aimer les mondes.

Mais aujourd'hui, sénile et débauché,
Il lèche et mord et mange son péché ;
Il cultive, dans un jardin d'anomalies,
Bibles, codes, textes, règles, qu'il multiplie
55 Pour les nier et les flétrir par des viols.
Et ses amours sont l'or. Et ses haines ? les vols
Vers la beauté toujours plus claire et plus certaine
Qui s'ouvre en fleurs d'astres au pré des nuits lointaines.

Et le voici au fond de palais monstrueux
60 Dont les vitraux dardent aux cieux
L'inquiétude,
Et le voici, soudain, qui se transforme en multitude.

La scène brille, ainsi qu'un éventail,
Au fond, luisent des minarets d'émail
65 Et des maisons et des terrasses claires.
Sous les feux bleus des lampadaires,
En rythmes lents d'abord, mais violents soudain,
Se cueillant des baisers et se frôlant les seins,
Se rencontrent les bayadères ;
70 Des négrillons, coiffés de plumes,
 – Les dents blanches, couleur d'écume,
En leurs bouches, vulves ouvertes, –
Bougent, tous les mêmes, d'après un branle inerte.
Un tambour bat, un son de cor s'entête,
75 Un fifre cru chatouille un refrain bête,
Et c'est enfin, pour la suprême apothéose,
Un assaut fou débordant sur les planches,
Un étagement d'or, de gorges et de hanches,

D'enlacements crispés et de terribles poses
80 Et des torses offerts et des robes fendues
Et des grappes de vice entre des fleurs pendues.

Et l'orchestre se meurt ou brusquement halète
Et monte et s'enfle et roule en aquilons;
Des spasmes sourds sortent des violons;
85 Des chiens lascifs semblent japper dans la tempête
Des bassons forts et des gros cuivres;
Mille désirs naissent, gonflés, pesants, goulus.
On les dirait si lourds que tous, n'en pouvant plus,
Se prostituent en hâte et choient et se délivrent.

90 Et minuit sonne et la foule s'écoule
– Le hall fermé – parmi les trottoirs noirs;
Et sous les lanternes qui pendent
Rouges, dans la brume, ainsi que des viandes,
Ce sont des filles qui attendent.

LES PROMENEUSES

1 Au long de promenoirs qui s'ouvrent sur la nuit
– Balcons de fleurs, rampes de flammes –
Des femmes en deuil de leur âme
Entrecroisent leurs pas sans bruit.

5 Le travail de la ville et s'épuise et s'endort :
Une atmosphère éclatante et chimique
Étend au loin ses effluves sur l'or
Myriadaire d'un grand décor panoramique.

Comme des clous, le gaz fixe ses diamants
10 Autour de coupoles illuminées ;
Des colonnes passionnées
Tordent de la douleur au firmament.
Sur les places, des buissons de flambeaux
Versent du soufre ou du mercure ;
15 Tel coin de monument qui se mire dans l'eau
Semble un torse qui bouge en une armure.

La ville est colossale et luit comme une mer
De phares merveilleux et d'ondes électriques,

Et ses mille chemins de bars et de boutiques
20 Aboutissent, soudain, aux promenoirs de fer,
Où ces femmes – opale et nacre,
Satin nocturne et cheveux roux –
Avec en main des fleurs de macre[1],
À longs pas clairs, foulent des tapis mous.

25 Ce sont de très lentes marcheuses solennelles
Qui se croisent, sous les minuits inquiétants,
Et se savent, – depuis quels temps ? –
Douloureuses et mutuelles.

En pleurs encor d'un trop grand deuil,
30 Tels yeux obstinés et hagards
Dans un nouveau destin ont rivé leurs regards,
Comme des clous dans un cercueil.

Telle bouche vers telle autre s'en est allée,
Comme deux fleurs se rencontrent sur l'eau.
35 Tel front semble un bandeau
Sur une pensée aveuglée.

Telle attitude est pareille toujours ;
Dans tel cerveau rien ne tressaille.
Quoique le cœur, où le vice travaille,
40 Batte âprement ses tocsins sourds.

J'en sais dont les robes funèbres
Voilent de pâles souliers d'or

---

1. Macre : plante aquatique à fleurs blanches.

Et dont un serpent d'argent mord
Les longues tresses de ténèbres.

5 Des houx rouges de leur tourment
D'autres ont fait leurs diadèmes ;
J'en vois : des veuves d'elles-mêmes
Qui se pleurent, comme un amant.

Quand leurs rêves, la nuit, s'esseulent
10 Et qu'elles tiennent dans la main
Le sort banal d'un être humain,
Elles savent ce qu'elles veulent.

Si leur peine devait finir un jour,
Elles en seraient plus tristes peut-être,
15 Qu'elles ne sont inconsolables d'être
Celles du taciturne amour.

Au long de promenoirs qui dominent la nuit,
De lentes femmes,
En deuil immense de leur âme,
20 Entrecroisent leurs pas sans bruit.

UNE STATUE [1]

¹ Un bloc de marbre où son nom luit sur une plaque.

Ventre riche, mâchoire ardente et menton lourd;
Haine et terreur murant son gros front lourd
Et poing taillé pour fendre en deux toutes attaques.

⁵ Le carrefour, solennisé de palais froids,
D'où ses regards têtus et violents encore
Scrutent quels feux d'éveil bougent dans telle aurore,
Comme sa volonté, se carre en angles droits.

Il fut celui de l'heure et des hasards bizarres,
¹⁰ Mais textuel, sitôt qu'il tint la force en main
Et qu'il put étouffer dans hier le lendemain
Déjà sonore et plein de terribles fanfares.

Sa colère fit loi durant ces jours vantés,
Où toutes voix montaient vers ses panégyriques,

1. Il s'agit d'une statue de bourgeois.

15 Où son rêve d'État strict et géométrique
    Tranquillisait l'aboi plaintif des lâchetés.

    Il se sentait la force étroite et qui déprime,
    Tantôt sournois, tantôt cruel et contempteur,
    Et quand il se dressait de toute sa hauteur
20 Il n'arrivait jamais qu'à la hauteur d'un crime.

    Planté devant la vie, il l'obstrua, depuis
    Qu'il s'imposa sauveur des rois et de lui-même
    Et qu'il utilisa la peur et l'affre blême
    En des complots fictifs qu'il étranglait, la nuit.

25 Si bien qu'il apparaît sur la place publique
    Féroce et rancunier, autoritaire et fort,
    Et défendant encor, d'un geste hyperbolique,
    Son piédestal massif comme son coffre-fort.

LES USINES

1 Se regardant avec les yeux cassés de leurs fenêtres
    Et se mirant dans l'eau de poix et de salpêtre
    D'un canal droit, marquant sa barre à l'infini,
    Face à face, le long des quais d'ombre et de nuit,
5 Par à travers les faubourgs lourds
    Et la misère en pleurs de ces faubourgs,
    Ronflent terriblement usines et fabriques.

    Rectangles de granit et monuments de briques,
    Et longs murs noirs durant des lieues,
10 Immensément, par les banlieues;
    Et sur les toits, dans le brouillard, aiguillonnées
    De fers et de paratonnerres,
    Les cheminées.

    Se regardant de leurs yeux noirs et symétriques,
15 Par la banlieue, à l'infini,
    Ronflent le jour, la nuit,
    Les usines et les fabriques.

Oh les quartiers rouillés de pluie et leurs grand'rues !
Et les femmes et leurs guenilles apparues
20 Et les squares, où s'ouvre, en des caries
De plâtras blanc et de scories,
Une flore pâle et pourrie.

Aux carrefours, porte ouverte, les bars :
Étains, cuivres, miroirs hagards,
25 Dressoirs d'ébène et flacons fols
D'où luit l'alcool
Et sa lueur vers les trottoirs.
Et des pintes qui tout à coup rayonnent,
Sur le comptoir, en pyramides de couronnes ;
30 Et des gens soûls, debout,
Dont les larges langues lapent, sans phrases,
Les ales d'or et le whisky, couleur topaze.

Par à travers les faubourgs lourds
Et la misère en pleurs de ces faubourgs,
35 Et les troubles et mornes voisinages,
Et les haines s'entrecroisant de gens à gens
Et de ménages à ménages,
Et le vol même entre indigents,
Grondent, au fond des cours, toujours,
40 Les haletants battements sourds
Des usines et des fabriques symétriques.

Ici, sous de grands toits où scintille le verre,
La vapeur se condense en force prisonnière :
Des mâchoires d'acier mordent et fument ;
45 De grands marteaux monumentaux
Broient des blocs d'or sur des enclumes,

Et, dans un coin, s'illuminent les fontes
En brasiers tors et effrénés qu'on dompte.

Là-bas, les doigts méticuleux des métiers prestes,
50 À bruits menus, à petits gestes,
Tissent des draps, avec des fils qui vibrent
Légers et fins comme des fibres.
Des bandes de cuir transversales
Courent de l'un à l'autre bout des salles
55 Et les volants larges et violents
Tournent, pareils aux ailes dans le vent
Des moulins fous, sous les rafales.
Un jour de cour avare et ras
Frôle, par à travers les carreaux gras
60 Et humides d'un soupirail,
Chaque travail.
Automatiques et minutieux,
Des ouvriers silencieux
Règlent le mouvement
65 D'universel tictaquement
Qui fermente de fièvre et de folie
Et déchiquette, avec ses dents d'entêtement,
La parole humaine abolie.

Plus loin, un vacarme tonnant de chocs
70 Monte de l'ombre et s'érige par blocs;
Et, tout à coup, cassant l'élan des violences,
Des murs de bruit semblent tomber
Et se taire, dans une mare de silence,
Tandis que les appels exacerbés
75 Des sifflets crus et des signaux
Hurlent soudain vers les fanaux,

Dressant leurs feux sauvages,
En buissons d'or, vers les nuages.

Et tout autour, ainsi qu'une ceinture,
80 Là-bas, de nocturnes architectures,
Voici les docks, les ports, les ponts, les phares
Et les gares folles de tintamarres;
Et plus lointains encor des toits d'autres usines
Et des cuves et des forges et des cuisines
85 Formidables de naphte et de résines
Dont les meutes de feu et de lueurs grandies
Mordent parfois le ciel, à coups d'abois et d'incendies.

Au long du vieux canal à l'infini,
Par à travers l'immensité de la misère
90 Des chemins noirs et des routes de pierre,
Les nuits, les jours, toujours,
Ronflent les continus battements sourds,
Dans les faubourgs,
Des fabriques et des usines symétriques.

95 L'aube s'essuie
À leurs carrés de suie;
Midi et son soleil hagard
Comme un aveugle, errent par leurs brouillards;
Seul, quand au bout de la semaine, au soir,
100 La nuit se laisse en ses ténèbres choir,
L'âpre effort s'interrompt, mais demeure en arrêt,
Comme un marteau sur une enclume,
Et l'ombre, au loin, parmi les carrefours, paraît
De la brume d'or qui s'allume.

LA BOURSE

1   Comme un torse de pierre et de métal debout
Le monument de l'or dans les ténèbres bout.

Dès que morte est la nuit et que revit le jour,
L'immense et rouge carrefour
5 D'où s'exalte sa quotidienne bataille
Tressaille.

Des banques s'ouvrent tôt et leurs guichets,
Où l'or se pèse au trébuchet[1],
Voient affluer – voiles légères – par flottes,
10 Les traites et les banque-notes.
Une fureur monte et s'en dégage,
Gagne la rue et s'y propage,
Venant chauffer, de seuil en seuil,
Dans la ville, la peur, la folie ou l'orgueil.

15 Le monument de l'or attend que midi tinte
Pour réveiller l'ardeur dont sa vie est étreinte.

1. Trébuchet : petite balance qui servait en particulier à peser les pièces de monnaie.

Tant de rêves, tels des feux roux
Entremêlent leur flamme et leurs remous
De haut en bas du palais fou !
20 Le gain coupable et monstrueux
S'y resserre comme des nœuds.
On croit y voir une âpre fièvre
Voler, de front en front, de lèvre en lèvre,
Et s'ameuter et éclater
25 Et crépiter sur les paliers
Et les marches des escaliers.
Une fureur réenflammée
Au mirage du moindre espoir
Monte soudain de l'entonnoir
30 De bruit et de fumée,
Où l'on se bat, à coups de vols, en bas.
Langues sèches, regards aigus, gestes inverses,
Et cervelles, qu'en tourbillons les millions traversent,
Échangent là leur peur et leur terreur.
35 La hâte y simule l'audace
Et les audaces se dépassent ;
Les uns confient à des carnets
Leurs angoisses et leurs secrets ;
Cyniquement, tel escompte l'éclair
40 Qui tue un peuple au bout du monde ;
Les chimères volent dans l'air ;
Les chances fuient ou surabondent ;
Marchés conclus, marchés rompus
Luttent et s'entrebutent en disputes ;
45 L'air brûle – et les chiffres paradoxaux,
En paquets pleins, en lourds trousseaux,
Sont rejetés et cahotés et ballottés

Et s'effarent en ces bagarres,
Jusqu'à ce que leurs sommes lasses,
50 Masses contre masses,
Se cassent.

Aux fins de mois, quand les débâcles se décident,
La mort les paraphe de suicides
Et les chutes s'effritent en ruines
55 Qui s'illuminent
En obsèques exaltatives.
Mais le jour même, aux heures blêmes,
Les volontés, dans la fièvre, revivent;
L'acharnement sournois
60 Reprend, comme autrefois.
On se trahit, on se sourit et l'on se mord
Et l'on travaille à d'autres morts.
La haine ronfle, ainsi qu'une machine,
Autour de ceux qu'elle assassine.
65 On vole, avec autorité, les gens
Dont les coffres sont indigents.
On mêle avec l'honneur l'escroquerie,
Pour amorcer jusqu'aux patries
Et ameuter vers l'or torride et infamant
70 L'universel affolement.

Oh l'or, là-bas, comme des tours dans les nuages,
L'or étalé sur l'étagère des mirages,
Avec des millions de bras tendus vers lui,
Et des gestes et des appels, la nuit,
75 Et la prière unanime qui gronde,
De l'un à l'autre bout des horizons du monde !

Là-bas, des cubes d'or sur des triangles d'or,
Et tout autour les fortunes célèbres
S'échafaudant sur des algèbres.

80 De l'or! – boire et manger de l'or!
Et, plus féroce encor que la rage de l'or,
La foi au jeu mystérieux
Et ses hasards hagards et ténébreux
Et ses arbitraires vouloirs certains
85 Qui restaurent le vieux destin;
Le jeu, axe terrible, où tournera autour de l'aventure,
Par seul plaisir d'anomalie,
Par seul besoin de rut et de folie,
Là-bas, où se croisent les lois d'effroi
90 Et les suprêmes désarrois,
Éperdument, la passion future.

Comme un torse de pierre et de métal debout,
Qui cèle en son mystère et son ardeur profonde
Le cœur battant et haletant du monde,
95 Le monument de l'or dans les ténèbres bout.

LE BAZAR

1   C'est un bazar, au bout des faubourgs rouges :
    Étalages toujours montants, toujours accrus,
    Tumulte et cris jetés, gestes vifs et bourrus
    Et lettres d'or, qui soudain bougent,
5   En torsades, sur la façade.

    C'est un bazar, avec des murs géants
    Et des balcons et des sous-sols béants
    Et des tympans montés sur des corniches
    Et des drapeaux et des affiches
10 Où deux clowns noirs plument un ange.

    On y étale à certains jours,
    En de vaines et frivoles boutiques,
    Ce que l'humanité des temps antiques
    Croyait divinement être l'amour ;
15 Aussi les Dieux et leur beauté
    Et l'effrayant aspect de leur éternité
    Et leurs yeux d'or et leurs mythes et leurs emblèmes
    Et les livres qui les blasphèment.

Toutes ardeurs, tous souvenirs, toutes prières
20 Sont là, sur des étaux et s'empoussièrent ;
Des mots qui renfermaient l'âme du monde
Et que les prêtres seuls disaient au nom de tous
Sont charriés et ballottés, dans la faconde
Des camelots et des voyous.
25 L'immensité se serre en des armoires
Dérisoires et rayonne de plaies ;
Et le sens même de la gloire
Se définit par des monnaies.

Lettres jusques au ciel, lettres en or qui bouge,
30 C'est un bazar au bout des faubourgs rouges !
La foule et ses flots noirs
S'y bousculent près des comptoirs ;
La foule – oh ses désirs multipliés,
Par centaines et par milliers ! –
35 Y tourne, y monte, au long des escaliers,
Et s'érige folle et sauvage,
En spirale, vers les étages.

Là-haut, c'est la pensée
Immortelle, mais convulsée,
40 Avec ses triomphes et ses surprises,
Qu'à la hâte on expertise.
Tous ceux dont le cerveau
S'enflamme aux feux des problèmes nouveaux,
Tous les chercheurs qui se fixent pour cible
45 Le front d'airain de l'impossible
Et le cassent, pour que les découvertes
S'en échappent, ailes ouvertes,
Sont là gauches, fiévreux, distraits,

Dupes des gens qui les renient
50 Mais utilisent leur génie,
Et font argent de leurs secrets.

Oh! les Édens, là-bas, au bout du monde,
Avec des glaciers purs à leurs sommets sacrés,
Que ces voyants des lois profondes
55 Ont explorés,
Sans se douter qu'ils sont les Dieux.
Oh! leur ardeur à recréer la vie,
Selon la foi qu'ils ont en eux
Et la douceur et la bonté de leurs grands yeux,
60 Quand, revenus de l'inconnu
Vers les hommes, d'où ils s'érigent,
On leur vole ce qui leur reste aux mains
De vérité conquise et de destin.

C'est un bazar tout en vertiges
65 Que bat, continûment, la foule, avec ses houles
Et ses vagues d'argent et d'or;
C'est un bazar tout en décors,
Avec des tours, avec des rampes de lumières;
C'est un bazar bâti si haut que, dans la nuit,
70 Il apparaît la bête et de flamme et de bruit
Qui monte épouvanter le silence stellaire.

L'ÉTAL

Au soir tombant, lorsque déjà l'essor
De la vie agitée et rapace s'affaisse,
Sous un ciel bas et mou et gonflé d'ombre épaisse,
Le quartier fauve et noir dresse son vieux décor
De chair, de sang, de vice et d'or.

Des commères, blocs de viande tassée et lasse,
Interpellent, du seuil de portes basses,
Les gens qui passent;
Derrière elles, au fond de couloirs rouges
Des feux luisent, un rideau bouge
Et se soulève et permet d'entrevoir
De beaux corps nus en des miroirs.

Le port est proche.
À gauche, au bout des rues,
L'emmêlement des mâts et des vergues obstrue
Un pan de ciel énorme;
À droite, un tas grouillant de ruelles difformes
Choit de la ville – et les foules obscures
S'y dépêchent vers leurs destins de pourriture.

20 C'est l'étal flasque et monstrueux de la luxure
Dressé, depuis toujours, sur les frontières
De la cité et de la mer.

Là-bas, parmi les flots et les hasards,
Ceux qui veillent, mélancoliques, aux bancs de quart
25 Et les mousses dont les hardes sont suspendues
À des mâts abaissés ou des cordes tendues,
Tous en rêvent et l'évoquent, tels soirs ;
Le cru désir les tord en effrénés vouloirs ;
Les baisers mous du vent sur leur torse circulent ;
30 La vague éveille en eux des images qui brûlent ;
Et leurs deux mains et leurs deux bras se désespèrent
Ou s'exaltent, tendus du côté de la terre.

Et ceux d'ici, ceux des bureaux et des bazars,
Chiffreurs têtus, marchands précis, scribes hagards,
35 Fronts assouplis, cerveaux loués et mains vendues,
Quand les clefs de la caisse au mur sont appendues,
Sentent le même rut mordre leur corps, tels soirs ;
On les entend descendre en troupeaux noirs,
Comme des chiens chassés, du fond du crépuscule,
40 Et la débauche en eux si fortement bouscule
Leur avarice et leur prudence routinière
Qu'elle les use et les ruine, avec colère.

C'est l'étal flasque et monstrueux de la luxure
Dressé, depuis toujours, sur les frontières
45 De la cité et de la mer.

Venus de quels lointains heureux ou fatidiques ?
Venus de quels comptoirs fiévreux ou méthodiques ?

Avec, en leurs yeux durs, la haine âpre et sournoise,
Avec, en leur instinct, la bataille et l'angoisse,
50 Autour de femelles rouges qui les affolent,
Ils s'assemblent et s'ameutent en ardentes paroles.

Des mascarons fougueux et des ornements crus
Luisent au long des murs et dans l'ombre se dardent;
Des satyres sautants et des Bacchus ventrus
55 Rient d'un rire immobile en des glaces blafardes;
Des fleurs meurent. Sur des tables de jeu,
Les bols chauffent, tordant leur flamme en drapeaux bleus;
Un pot de fard s'encrasse, au coin d'une étagère;
Une chatte bondit vers des mouches, légère;
60 Un ivrogne sommeille étendu sur un banc,
Et des femmes viennent à lui et se penchant
Frôlent ses yeux fermés, avec leurs seins énormes.

Leurs compagnes, reins fatigués, croupes qui dorment
Sur des fauteuils et des divans sont empilées,
65 La chair morne déjà d'avoir été foulée
Par les premiers passants de la vigne banale.
L'une d'elles coule en son bas un morceau d'or,
Une autre bâille et s'étire, d'autres encor
– Flambeaux défunts, thyrses usés des bacchanales –
70 Sentant l'âge et la fin les flairer du museau,
Les yeux fixes, se caressent la peau,
D'une main lente et machinale.

C'est l'étal flasque et monstrueux de la luxure
Dressé, depuis toujours, sur les frontières
75 De la cité et de la mer.

D'après l'argent qui tinte dans les poches,
La promesse s'échange ou le reproche ;
Un cynisme tranquille, une ardeur lasse
Préside à la tendresse ou bien à la menace.
80 L'étreinte et les baisers ennuient. Souvent,
Lorsque les poings s'entrecognent, au vent
Des insultes et des jurons, toujours les mêmes,
Quelque gaîté s'essore[1] et jaillit des blasphèmes,
Mais aussitôt retombe – et parfois l'on entend,
85 Dans le silence inquiétant,
Un clocher proche et haletant
Sonner l'heure lourde et funèbre,
Sur la ville, dans les ténèbres.

Pourtant, au long des jours, quand les fêtes émargent,
90 Soit en hiver, Noël, soit en été, Saint-Pierre,
Le vieux quartier de crasse et de lumière
Monte vers le péché, avec un élan large.

Il fermente de chants hurlés et de tapages :
Fenêtre par fenêtre, étage par étage,
95 Ses façades dardent, de haut en bas,
Le vice – et jusqu'au fond des galetas,
Brame l'ardeur et s'accouplent les rages.
Dans la grand'salle, où les marins affluent,
Poussant au-devant d'eux quelque bouffon des rues
100 Qui se convulse en mimiques obscènes,
Les vins d'écume et d'or bondissent de leur gaine ;
Les hommes saouls braillent comme des fous,
Les femmes se livrent – et, tout à coup,

1. S'essore : prend son essor.

Les ruts flambent, les bras se nouent, les corps se tordent,
On ne voit plus que des instincts qui s'entremordent,
Des seins offerts, des ventres pris et l'incendie
Des yeux hagards en des buissons de chair brandie.

C'est l'étal flasque et monstrueux de la luxure,
Où le crime plante ses couteaux clairs,
Où la folie, à coups d'éclairs,
Fêle les fronts de meurtrissures,
C'est l'étal flasque et monstrueux,
Dressé, depuis toujours, sur les frontières
Tributaires de la cité et de la mer.

Arrêt
sur
lecture 2

Verhaeren sur les traces de Baudelaire dans la ville nocturne

Quand la nuit s'abat sur la ville, les deux poètes font surgir un monde inquiétant où règne la débauche. Dans le sillage de Charles Baudelaire qui revendiquait pour le poète le pouvoir de «pratiquer une espèce de sorcellerie évocatoire» (*Théophile Gautier*, III), Verhaeren propose une transfiguration de la ville dans les lumières de la nuit.

Texte à l'appui : «Le Crépuscule du soir» dans *Les Fleurs du Mal* de Charles Baudelaire

« Voici le soir charmant, ami du criminel ;
Il vient comme un complice, à pas de loup ; le ciel
Se ferme lentement comme une grande alcôve,
Et l'homme impatient se change en bête fauve.

Ô soir, aimable soir, désiré par celui
Dont les bras, sans mentir, peuvent dire : Aujourd'hui
Nous avons travaillé ! – C'est le soir qui soulage

Les esprits que dévore une douleur sauvage,
Le savant obstiné dont le front s'alourdit,
Et l'ouvrier courbé qui regagne son lit.
Cependant des démons malsains dans l'atmosphère
S'éveillent lourdement, comme des gens d'affaire,
Et cognent en volant les volets et l'auvent.
À travers les lueurs que tourmente le vent
La Prostitution s'allume dans les rues;
Comme une fourmilière elle ouvre ses issues;
Partout elle se fraye un occulte chemin,
Ainsi que l'ennemi qui tente un coup de main;
Elle remue au sein de la cité de fange
Comme un ver qui dérobe à l'Homme ce qu'il mange.
On entend çà et là les cuisines siffler,
Les théâtres glapir, les orchestres ronfler;
Les tables d'hôte, dont le jeu fait les délices,
S'emplissent de catins et d'escrocs, leurs complices,
Et les voleurs, qui n'ont ni trêve ni merci,
Vont bientôt commencer leur travail, eux aussi,
Et forcer doucement les portes et les caisses
Pour vivre quelques jours et vêtir leurs maîtresses.

Recueille-toi, mon âme, en ce grave moment,
Et ferme ton oreille à ce rugissement.
C'est l'heure où les douleurs des malades s'aigrissent!
La sombre Nuit les prend à la gorge; ils finissent
Leur destinée et vont vers le gouffre commun;
L'hôpital se remplit de soupirs. – Plus d'un
Ne viendra plus chercher la soupe parfumée,
Au coin du feu, le soir, auprès d'une âme aimée.

Encore la plupart n'ont-ils jamais connu
La douceur du foyer et n'ont jamais vécu! »

Éléments pour un commentaire comparé entre « Le Crépuscule du soir » de Baudelaire et « Les promeneuses » de Verhaeren

1 – Les mystères de la nuit

a) Un soir trompeur :

Baudelaire annonce l'ambivalence du soir dès le premier vers par une antithèse, le deuxième hémistiche* venant nier le stéréotype* romantique du coucher de soleil : « Voici le soir charmant, ami du criminel. »

Le silence qui s'installe « à pas de loup » (v. 2) est également présent dans le poème de Verhaeren qui s'ouvre et se ferme « sans bruit ». Est-ce une promesse de repos pour ceux qui peuvent dire : « Aujourd'hui / Nous avons travaillé ! », comme semble le suggérer Baudelaire ? Chez Verhaeren, la masse des travailleurs est harassée et se fond dans l'allégorie* : « Le travail de la ville et s'épuise et s'endort » (v. 5). À la tombée du soir, le champ de vision baudelairien se resserre : « le ciel / Se ferme lentement » (v. 2-3), alors que Verhaeren commence son poème par une ouverture de l'espace visuel : « Au long des promenoirs qui s'ouvrent sur la nuit. »

Nous sommes en fait introduits dans un autre monde, où le repos n'est que leurre : Baudelaire montre l'homme « impatient », puis le mot charnière « cependant » renverse au vers 11 le point de vue sur les forces qui « s'éveillent » ; de même Verhaeren découvre « sous les minuits inquiétants » (v. 26) « le vice [qui] travaille » (v. 39).

b) Un décor tourmenté :

Les poètes restituent l'éclairage artificiel de la ville en combinant l'ombre et la lumière : dans « La sombre Nuit » (v. 32), Baudelaire capte des « lueurs », et la ville « s'allume » (v. 14-15) sous son regard, qui plonge « au sein de la cité de fange » (v. 19). Verhaeren adopte au contraire un angle de vision large et ascensionnel pour peindre la lumière d'or qui jaillit, explose, se répand dans la deuxième strophe où se multiplient les termes hyperboliques, avec la création lexicale de l'adjectif : « myriadaire », néologisme* pouvant rappeler, par son suffixe, celui du titre du recueil.

2 – Les visions dans la ville nocturne

a) La traversée des bas-fonds :

Les deux poètes nous entraînent sur le trajet de la débauche. Dans « Le Crépuscule du soir », la « Prostitution » (avec majuscule) envahit Paris, elle « ouvre ses issues ; / Partout elle se fraye un occulte chemin » (v. 16-17). Dans un mouvement inverse, chez Verhaeren, ce sont les voies urbaines qui convergent vers les trottoirs où déambulent les prostituées : « ses mille chemins […] aboutissent, soudain, aux promenoirs » (v. 19-20). Cependant les deux poètes procèdent au recensement des lieux contaminés par le vice : Verhaeren privilégie l'idée d'alcool et de commerce en évoquant les « chemins de bars et boutiques », tandis que Baudelaire énumère de façon plus exhaustive les lieux de plaisir : « cuisines, théâtres, orchestres, tables d'hôtes », traversés par le vice dans les vers 21 à 29.

b) Le défilé des marginaux :

La traversée de la ville nous fait rencontrer les êtres qui vivent en marge de la société. Baudelaire montre les lieux de plaisir qui « s'emplissent de catins et d'escrocs » (v. 24) et fait défiler les « complices » du vice. En revanche, dans la population nocturne des villes, ce sont les prostituées qui retiennent le regard de Verhaeren : seuls êtres visibles, prisonnières arpentant tout au long du poème ces « promenoirs de fer » (v. 20) qui encadrent le texte comme des couloirs de prison.

c) Visions hallucinées :

Nous assistons dans les deux poèmes à un processus de métamorphose. Baudelaire peint le réveil « des démons malsains » (v. 11), préparé par le vers 4 avec la transformation de l'homme « en bête fauve » ; le thème de la bestialité réapparaît au vers 8 avec l'adjectif « sauvage ». La figure fantastique de la Prostitution, allégorie* de tous les êtres livrés à la débauche, surgit alors dans le cadre parisien : d'abord simple présence lumineuse qui « s'allume dans les rues » (v. 15), elle devient vision d'horreur, comparée une première fois à « une fourmilière » qui « remue » dans la « fange » (v. 16 à 19), puis comparée à « un ver » affamé. Reprenant le mot d'ordre de Baudelaire qui voulait « glorifier le culte des images » (*Mon cœur mis à nu*, 69), Verhaeren exploite à son tour les ressources de l'analogie* : dans le quatrain qui encadre le poème, les fleurs décorant les balcons s'embrasent sous l'effet d'une métaphore* par simple juxtaposition, phénomène dont la brusque magie est soulignée par les tirets : « – Balcons de fleurs, rampes de flammes –. » La métaphore filée* du feu surgit à nouveau au vers 13 dans « les buissons de flambeaux », diffusant une atmosphère délétère et mortifère car ce feu « verse du soufre ou du mercure ». La ville nocturne, transformée par ce registre fantastique, révèle ses pouvoirs diaboliques. La perte d'humanité s'effectue chez Baudelaire par l'animalisation, et une métaphore sonore est filée pour évoquer la propagation du vacarme bestial qui se répand dans Paris. Tous les lieux traversés deviennent ainsi l'antre horrible où vient « siffler, glapir, ronfler » l'allégorie* monstrueuse de la Prostitution. C'est plutôt par un processus d'effacement que Verhaeren opère la métamorphose de la ville à partir de la comparaison* avec une mer (v. 17) dans laquelle les promeneuses « en deuil de leur âme » (v. 3) finissent par sombrer : figures sans consistance qui « À longs pas clairs, foulent des tapis mous » (v. 24), elles semblent s'enfoncer dans le pays des morts, et disparaissent « sans bruit » dans le gouffre de leur « deuil immense » (v. 59-60). Entre les deux strophes qui encadrent le poème, on les voit se fondre dans les couleurs de la nuit : « opale et nacre, / Satin nocturne » (v. 21-23), « robes funèbres [...] pâles souliers » (v. 41-42) et devenir, avec leurs yeux « hagards » (v. 30), des fantômes errants.

3 – La douleur

a) La souffrance collective :

Attentif à l'épuisement des « esprits », à la fatigue du « savant obstiné » ou de « l'ouvrier courbé » (v. 8-10), Baudelaire exprime une sensibilité extrême à la souffrance des citadins. Mais loin d'apaiser ces souffrances, la nuit réveille les démons, comparés à « des gens d'affaire » (v. 12). Le harcèlement commence alors : ces démons « cognent [...] les volets et l'auvent » (v. 13), comme les voleurs que l'on voit ensuite sans « trêve ni merci [...] forcer [...] les portes et les caisses » (v. 25-27). À la fin du poème, l'assaut final est donné, rassemblant les hommes souffrants dans une même douleur, à l'hôpital (v. 31-34). Verhaeren, quant à lui, présente ses promeneuses comme des mortes vivantes dans un décor en souffrance dont elles sont le reflet. Certes «La ville est colossale et luit» (v. 17), mais elle ne s'anime que pour son propre supplice : à peine les constructions urbaines sont-elles personnifiées que les «colonnes passionnées» sombrent dans des convulsions et «tordent de la douleur» avant de commencer à se figer (v. 11-16). Tout, ville et êtres, semble se consumer dans la douleur.

b) Les poètes et la douleur :
Les deux poètes ne manifestent pas d'emblée leur présence explicite. Toutefois, dans l'apostrophe à l'«aimable soir» (v. 5), nous reconnaissons la voix sans illusion de Baudelaire, qui s'introduit ensuite dans la psyché du travailleur, partageant son aspiration au repos grâce à un subtil glissement énonciatif : «Nous avons travaillé!» (v. 7). Dès lors, c'est bien le poète qui subit, avec les habitants de la ville, le tumulte nocturne, et s'inclut dans le pronom indéfini du vers 21 : «On entend [...] siffler...», déclare le poète blessé par le «rugissement» bestial du Paris nocturne. Le mouvement du poème est double : une plongée progressive dans la fange de la cité où le poète éprouve sa capacité à partager les aspirations et les effrois de la population, puis un mouvement de retrait qui s'accomplit dans le dédoublement de sa subjectivité, quand il s'adresse à lui-même : «Recueille-toi, mon âme [...] Et ferme ton oreille» (v. 29-30). Verhaeren reprend à sa manière ce même trajet : l'œil extérieur du peintre du «grand décor panoramique» (v. 8) pénètre peu à peu dans la psyché des «femmes en deuil de leur âme» et, au centre du poème, se place au plus près de cette douleur muette, captant les bruits de leur cœur qui bat «âprement ses tocsins sourds» (v. 40). Il semble alors que le poète ne puisse plus tenir sa position de témoin : fait exceptionnel dans *Les Villes tentaculaires*, le pronom de première personne apparaît, signe d'une émotion qui ne peut plus être contenue : «J'en sais dont les robes funèbres» (v. 41); «J'en vois : des veuves d'elles-mêmes» (v. 47).

Conclusion
Guetteur mélancolique de la modernité, Baudelaire se montre solidaire de la souffrance des hommes et aspiré vers «le gouffre commun» (v. 33). Le désir du repos et le rêve de «La douceur du foyer» qu'il partage

avec eux se heurtent pourtant à l'horreur de la réalité dont il veut se détourner. C'est par le travail harassant de l'écriture que le poète transfigure le Paris nocturne en éloignant la forme poétique de ses motifs traditionnels : son « Crépuscule du soir » n'est ni charmant ni aimable ! Dans son poème, Verhaeren retient du crépuscule baudelairien une peinture de la modernité transfigurée par les métaphores* fantastiques et, au cœur de son recueil, porte lui aussi sur le monde un regard mélancolique : la tonalité pathétique avec laquelle Baudelaire quitte le registre fantastique pour peindre les rêves inassouvis de ses frères de misère se retrouve dans le lyrisme compassionnel de Verhaeren envers ces « lentes marcheuses […] inconsolables » (v. 25, v. 55).

Les thèmes dominants dans le cœur du recueil

La prostitution

Verhaeren s'inscrit encore dans la lignée de Baudelaire pour exploiter, cette fois, la veine triviale et crue d'un réalisme poussé jusqu'au sordide : « Le Spectacle » et « L'Étal » se trouvent respectivement en septième et treizième positions dans *Les Villes tentaculaires*, encadrant le poème « Les Promeneuses ». « Le Crépuscule du matin » de Baudelaire constitue le deuxième volet du diptyque* consacré au crépuscule et vient clore la section des « Tableaux parisiens ».

«   LE CRÉPUSCULE DU MATIN

La diane chantait dans les cours des casernes,
Et le vent du matin soufflait sur les lanternes.

C'était l'heure où l'essaim des rêves malfaisants
Tord sur leurs oreillers les bruns adolescents ;
Où, comme un œil sanglant qui palpite et qui bouge,
La lampe sur le jour fait une tache rouge ;
Où l'âme, sous le poids du corps revêche et lourd,
Imite les combats de la lampe et du jour.

Comme un visage en pleurs que les brises essuient,
L'air est plein du frisson des choses qui s'enfuient,
Et l'homme est las d'écrire et la femme d'aimer.

Les maisons çà et là commençaient à fumer.
Les femmes de plaisir, la paupière livide,
Bouche ouverte, dormaient de leur sommeil stupide;
Les pauvresses, traînant leurs seins maigres et froids,
Soufflaient sur leurs tisons et soufflaient sur leurs doigts.
C'était l'heure où parmi le froid et la lésine
S'aggravent les douleurs des femmes en gésine;
Comme un sanglot coupé par un sang écumeux
Le chant du coq au loin déchirait l'air brumeux;
Une mer de brouillard baignait les édifices,
Et les agonisants dans le fond des hospices
Poussaient leur dernier râle en hoquets inégaux.
Les débauchés rentraient, brisés par leurs travaux.

L'aurore grelottante en robe rose et verte
S'avançait lentement sur la Seine déserte,
Et le sombre Paris, en se frottant les yeux,
Empoignait ses outils, vieillard laborieux. »

Alors que commence « l'aurore grelottante », Baudelaire fait apparaître, dans un portrait violemment réaliste et négatif, « les femmes de
plaisir, la paupière livide, / Bouche ouverte [...] traînant leurs seins
maigres et froids ». En quelques traits, le poète plie la forme poétique
pour y introduire une touche naturaliste digne de la peinture roma-
nesque de la prostitution dans les pages de Zola. C'est le registre que
privilégie Verhaeren quand, de part et d'autre du poème « Les Promeneuses », il peint les prostituées en chair et en os : aucune mélancolie
pathétique ne vient alors adoucir la palette du poète. Dans « Le Spectacle », le commerce du plaisir est présenté dans son « obscénité »
(v. 24), et les lanternes rouges qui éclairent les prostituées sont comparées
à « des viandes » (v. 93), ce qui assimile indirectement le trottoir de la

prostitution à un lieu de vente de la chair humaine, un « étal », auquel sera justement consacré un autre poème du recueil. Les prostituées que l'on y rencontre sont alors saisies à travers une métaphore* brutale, par simple juxtaposition : « Des commères, blocs de viande tassée et lasse » (v. 6). Le lieu incorpore ensuite leurs caractéristiques physiques dans un hypallage* : « C'est l'étal flasque. »

Ainsi se poursuit la fresque de la misère humaine ; depuis la mutilation de la nature jusqu'à la mutilation des êtres : « La chair morne » évoquée dans « L'Étal » rappelle la plaine « morne » du poème liminaire du recueil et fait écho à l'enfance prostituée entrevue dès le poème « Les Cathédrales » :

> Voici les enfants las de leur sang morne
> Et qui mendient et qui s'offrent au coin des bornes.

L'argent

Entre les poèmes « Le Spectacle » et « L'Étal », Verhaeren peint une série de tableaux dénonçant les dégâts du matérialisme régnant. Par un contraste violent, nous sortons de l'enfer ténébreux du monde des usines où les ouvriers hagards subissent l'exploitation du travail, pour entrer dans l'univers où triomphe l'argent. À l'automatisation des ouvriers soumis, tels des esclaves, au rythme des machines au fond des usines s'oppose la ferveur d'enrichissement qui anime la population bourgeoise dans les locaux de la bourse.

La religion de l'or – À l'essor spirituel que représentaient les cathédrales au début du recueil s'est substitué, dans le cœur de la ville, la frénésie qui règne dans cette cathédrale des temps modernes qu'est devenue la bourse. On assiste en effet, dans « La Bourse », à une véritable métamorphose du « monument de l'or » (v. 2, 15, 95) par le biais d'un réseau lexical religieux. Sous la plume de Verhaeren, l'atmosphère du lieu suscite les « rêves, l'espoir » (v. 17, 28), les hommes peuvent y confier « leurs angoisses et leurs secrets » (v. 38), on voit s'y dérouler des « obsèques exaltatives » (v. 56) ; on remarquera ici le néologisme* étonnant par lequel le poète traduit le transfert des fonctions religieuses des cathédrales anciennes à ce nouveau monument. L'accomplissement de la mutation s'effectue dans les vers 71-76 :

> Oh l'or, là-bas, comme des tours dans les nuages,
> L'or étalé sur l'étagère des mirages,
> Avec des millions de bras tendus vers lui,
> Et des gestes et des appels, la nuit,
> Et la prière unanime qui gronde,
> De l'un à l'autre bout des horizons du monde !

Dans ces vers, le poète évoque en une même dynamique les gestes et les paroles d'une foule en prière dont la ferveur se répand dans le monde entier ; les hyperboles assurent un effet d'amplification et permettent de dénoncer dans cette ferveur un véritable fanatisme : c'est bien un dévoiement de la pensée religieuse que dénonce ici Verhaeren dans sa peinture du culte de l'or. La bourse est un lieu maléfique :

> Le gain coupable et monstrueux
> S'y resserre comme des nœuds.

La guerre de l'argent – Cette image de mort montre que le temple de l'or est aussi un champ de bataille. Traversé par des images de guerre, le poème présente les activités de la spéculation financière comme une lutte sans merci, une « quotidienne bataille » (v. 5) dont l'âpreté est traduite par une série de métaphores*. On assiste ainsi à l'arrivée des « flottes » (v. 9) et au déroulement des combats où l'héroïsme est dégradé : « la peur » devient « terreur » et « La hâte […] simule l'audace », on agit « cyniquement » pour tuer (v. 34-44). La parodie de la lutte guerrière se poursuit avec les manifestations de la trahison sournoise, du vol et de « l'escroquerie » (v. 59-70) et conduit à un dénouement catastrophique présentant les faillites et banqueroutes comme des défaites (v. 52-53) :

> Aux fins de mois, quand les débâcles se décident,
> La mort les paraphe de suicides.

Les hommes peuvent donc se perdre quand ils se soumettent à la passion de l'or.

La fièvre de l'or – Les symptômes d'une maladie mentale et morale sont disséminés dans le poème : « une fureur monte » (v. 11), « On croit y voir une âpre fièvre / Voler, de front en front, de lèvre en lèvre » (v. 22-23) ; les signes de maladie se précisent (« langues sèches » (v. 32)) ; tout semble livré au feu : le poète montre l'or « torride » qui « bout », la fièvre qui « crépite », l'air qui « brûle ».

Le bourgeois, adorateur du veau d'or – La statue du moine introduisait aux « Cathédrales », la statue du soldat à cette vitrine de la conquête qu'est le « Port ». Dressée sur « un bloc de marbre » (v. 1) entre la ville des plaisirs (« Le Spectacle » et « Les Promeneuses ») et la ville de l'activité économique, la figure ventripotente du bourgeois annonce « Les Usines », « La Bourse », « Le Bazar » et « L'Étal ». Cette position stratégique, d'où elle pourra épier les moindres sursauts d'une population en marche vers une nouvelle ère sociale, est hautement signifiante : maître d'une ville dominée par le capitalisme triomphant, le bourgeois participe à tous les vices urbains, divertissements et prostitution d'un côté, enrichissement et spéculation financière de l'autre. La conclusion de « La Bourse » le dit assez clairement : l'amour de l'or lui tient lieu de spiritualité et, sacrifiant à un culte hérétique qui ne vise qu'à son bien-être personnel, il contribue plus qu'aucun autre citoyen à la relégation dans le passé des valeurs chrétiennes. Le portrait-charge que sculpte Verhaeren du bourgeois repu (« ventre riche »), obtus (« gros front lourd »), lâche (« l'aboi plaintif des lâchetés ») et « sournois » rappelle le Monsieur Prudhomme inventé par Henri Monnier. Le poète des *Villes tentaculaires* y exprime jusqu'à la caricature cette haine farouche du bourgeois partagée, depuis 1830, par l'ensemble du milieu artistique. Sa satire recourt volontiers au comique (v. 18-19) :

> Et quand il se dressait de toute sa hauteur
> Il n'arrivait jamais qu'à la hauteur d'un crime.

Pourtant, elle porte aussi en elle une très perceptible et inquiétante menace par laquelle elle se distingue des caricatures « bonhommes » qui, du Charles Bovary de Flaubert à la représentation du « roi des Français » en poire par Honoré Daumier, peuplent la littérature et les arts du temps.

Médiocre et lourdaud, le bourgeois de Verhaeren n'en demeure pas moins fort (« mâchoires ardentes », « poings taillés pour fendre en deux toutes attaques ») et animé d'une secrète violence à la hauteur de la terreur paranoïaque de se voir un jour jeter hors de « son piédestal massif » par les agents d'une nouvelle révolution sociale. Les poings contractés autour de son idée fixe, le bourgeois apparaît comme la plus dangereuse des puissances obstructives luttant, « féroce et rancuni[ère] », contre le progrès social que Verhaeren appelle « la vie ».

Dernière « Statue » de cette partie du recueil, dernière grande figure du monde moderne d'avant la « Révolte », le bourgeois vit à l'usine, à la bourse et au bazar ses derniers jours de souveraineté. Car bientôt s'érigera la statue rédemptrice d'un nouvel apôtre.

De Baudelaire à Verhaeren – L'attraction de l'argent, le désir du gain, la cupidité étaient déjà liés, chez Baudelaire, à l'esprit de débauche. Dans un de ses « Tableaux parisiens » intitulé « Le Jeu », le poète peint la « passion tenace » qui enchaîne à la table de jeu les « vieilles putains ». Verhaeren exploite et développe ce rapport entre débauche et cupidité dans la structure de son recueil.

Voici « le noir tableau » que présente Baudelaire dans le deuxième quatrain du poème intitulé « Le Jeu » :

« Autour des verts tapis des visages sans lèvre,
Des lèvres sans couleur, des mâchoires sans dent,
Et des doigts convulsés d'une infernale fièvre,
Fouillant la poche vide ou le sein palpitant. **»**

Le poète observe le cercle des joueurs assaillis par « l'infernale fièvre » qui déforme les traits de leurs visages décolorés, contractés dans l'attente du gain ou la crainte de la perte, serrant les mâchoires au point de perdre toute expression. Ce sont des visions cadavériques qui semblent franchir les cercles de l'enfer, selon le rythme inexorable de la perte d'humanité instauré dans trois hémistiches consécutifs par des parallélismes : « Des visages sans lèvre, / Des lèvres sans couleur, / Des mâchoires sans dent » ; ce tableau sordide est peuplé de figures identiques, anxieuses et agitées par les gestes brusques du désir.

Chez Verhaeren, le thème de la prostitution prend toute son ampleur en se rattachant aux méfaits de l'argent, moteur de toute l'activité humaine : du profit obtenu par l'exploitation des ouvriers, nous passons à la cupidité démente des spéculateurs. Les vers 80 à 83 de « La

Bourse » offrent une version démoniaque de l'empire de l'argent sur les hommes :

> De l'or ! – boire et manger de l'or !
> Et, plus féroce encor que la rage de l'or,
> La foi au jeu mystérieux…

Dès lors, on comprend que l'argent assure l'enchaînement des poèmes : dans « Le Spectacle », ce sont des « mains vaines » qui tentent de saisir l'« invisible désir » (v. 19-21), et leurs « amours sont l'or » (v. 56). La fébrilité qui régnait, chez Baudelaire, dans la salle de jeu semble gagner la bourse de Verhaeren, atteinte d'une « âpre fièvre » qui fait du jeu un « axe terrible » où se mêlent « rut » et « folie » (v. 86-88). Dans le temple du commerce que représente ensuite le bazar, on retrouve ces « gestes vifs » (v. 3) d'une foule aux « désirs multipliés » (v. 33). Enfin, dans le quartier « fauve » de la prostitution, le cycle de l'argent atteint sa forme la plus dégradante, l'argent permettant cette fois d'acheter la chair : dès le premier quintil* du poème « L'Étal » sont ainsi énumérés les éléments qui conjuguent cupidité et luxure dans un « décor / De chair, de sang, de vice et d'or ». Les mêmes convulsions déforment les corps des clients des prostituées et ceux des vieilles courtisanes de Baudelaire : « Le cru désir les tord en effrénés vouloirs » (v. 28). En fin de compte, la débauche, comme le jeu, « les use et les ruine » (v. 42).

Le vertige matérialiste

Le cœur du recueil résume l'activité urbaine : entre les poèmes consacrés à l'évocation de la dépravation dans les lieux où s'achète et se vend le plaisir, Verhaeren propose trois arrêts. Après le tableau des usines, nous entrons dans le monde de la finance, avec le poème « La Bourse », puis nous découvrons le haut lieu du négoce dans « Le Bazar ».

L'hyperactivité du bazar – Observons une fois encore la force d'expansion de la ville, où le bazar impose sa présence démesurée et lumineuse :

> Étalages toujours montants, toujours accrus,
> […]
> C'est un bazar, avec des murs géants
> Et des balcons et des sous-sols béants.

Sur le boulevard des Capucines, le peintre Jean Béraud représente les acteurs nouveaux de la ville : ils sont soldats, promeneurs assidus sur les lieux nouveaux des commerces, spectateurs des théâtres. C'est le tourbillon parisien.

Cette expansion se double de la puissance d'attraction exercée par les «lettres d'or, qui soudain bougent» (aux vers 4 et 29) comme si elles lançaient des appels, relayés par les «drapeaux», les «affiches» et «la faconde» des vendeurs.

Une marée d'acheteurs – On assiste alors à une véritable métamorphose de la clientèle ainsi attirée; c'est une marée humaine déchaînée qui monte à l'assaut du bazar, ce processus étant restitué au moyen d'une métaphore* maritime et d'une série de procédés hyperboliques (v. 31-37) :

> La foule et ses flots noirs
> S'y bousculent près des comptoirs;
> La foule – oh ses désirs multipliés,
> Par centaines et par milliers ! –
> Y tourne, y monte, au long des escaliers,
> Et s'érige folle et sauvage,
> En spirale, vers les étages.

C'est bel et bien une foule « en délire » que présente Verhaeren, livrée à la frénésie vertigineuse de la consommation.

La monstruosité, toujours la monstruosité... – La folie des clients se retourne cependant contre eux : dans le bazar, tout est à vendre et « se définit par des monnaies » (v. 28). Ne peut-on alors comprendre toute la portée sarcastique du vers 10 ? Dans le bazar, s'il y a des « clowns noirs [qui] plument un ange », il s'agit certainement de ces voyous qui volent le client naïf... Les lumières du grand magasin sont un leurre : elles attisent les « désirs multipliés » mais elles attirent pour mieux aveugler. Verhaeren, après nous avoir introduits dans ce lieu de démence, dévoile le monstre dans la strophe finale : des « décors » et des « rampes de lumières » surgit « la bête et de flamme et de bruit ».

Dans le bazar se conjuguent aussi les désirs fous : passion de la consommation et soif du gain sont les deux faces monstrueuses du mercantilisme moderne.

Pour une lecture des « Usines »

Placé au cœur du recueil, avec son titre qui fait des usines l'emblème* du nouveau paysage industriel, le poème consacré aux usines constitue un véritable tableau sonore où Verhaeren met en œuvre tous les procédés de son écriture poétique avec une violence provocatrice.

1 – Un cadre dramatiquement sombre
Dans ce long poème de 104 vers, l'alternance entre les visions d'ensemble des faubourgs industrialisés et les gros plans sur les squares, les bars et les ateliers, provoque une sensation de vertige.

a) Une exploration lugubre :
La peinture de l'espace s'effectue d'abord en plans larges et obscurs où s'étirent les « quais d'ombre et de nuit » (v. 4) et les « longs murs noirs durant des lieues » (v. 9). Cet arrière-plan de ténèbres sera maintenu tout au long du poème, dans un élargissement panoramique produit par des indices de spatialité qui ouvrent le champ de vision au début

des strophes : « Plus loin… Et tout autour… Là-bas… Au long du vieux canal à l'infini… » (v. 69, 79, 80, 88). C'est toujours la couleur noire qui s'étale avec ses « nocturnes architectures » (v. 80), ses « chemins noirs » (v. 90), et la peinture du fond du tableau s'achève quand, au vers 100, « la nuit se laisse en ses ténèbres choir. »

Le noir est « travaillé » par association avec diverses matières que le poète semble mélanger sur sa palette : poix, salpêtre, plâtras, scories, suie. Le noir se trouve ainsi dégradé, sali, investi d'une pâleur indécise et maladive.

b) Gros plans en plongées :
À plusieurs reprises, le regard fait une incursion dans des espaces sinistres, captant alors quelques « lueurs » tremblantes sur des « miroirs hagards » entrevus au fond des « bars » où règne la « couleur topaze » (v. 23-32). Quand le regard plonge dans les bas-fonds, il ne découvre que « troubles et mornes voisinages […] au fond des cours » (v. 35-39) où « un jour de cour avare et ras » est entrevu par « un soupirail » (v. 58-60) dans un effet de clair-obscur angoissant.

c) Un environnement insalubre :
La saleté produite par l'activité industrielle affecte tous les éléments du paysage : pollution du canal à « l'eau de poix et de salpêtre » (v. 2), dégradation des « quartiers rouillés de pluie » (v. 18), maladie des « squares » atteints de « caries » (v. 20) où végète « une flore pâle et pourrie » (v. 20-22). La salissure se dépose par touches recouvrant « les carreaux gras » (v. 59) et finit par recouvrir même la lumière du ciel où « l'aube » est obscurcie par des « carrés de suie » (v. 95-96). Nous découvrons ainsi l'ampleur de la souillure qui prolifère dans le tableau des faubourgs industriels.

2 – Un monde inhumain
Dès le premier vers, « les yeux cassés de leurs fenêtres » personnifient les usines et instaurent, dans un transfert par hypallage*, la loi terrible de la déshumanisation.

a) Un piège monstrueux :
La personnification* des usines est maintenue tout au long du poème

par la production d'un fond sonore permanent : de la première à la dernière strophe, on ne cesse de les entendre « ronfler ». Le verbe *ronfler*, amplifié par l'adverbe « terriblement » (v. 7), est relayé par le verbe *gronder*, source d'une matière sonore qui se développe sur tout le vers 40 dans ces « haletants battements sourds » dont on retrouve l'écho au vers 92. La menace se propage dans le poème par une série de variations qui maintiennent avec insistance un fond sonore inquiétant et oppressant ; en effet, les usines « ronflent le jour, la nuit » (v. 16), grondent « toujours » (v. 39), produisent des battements « continus » (v. 92).

Les manifestations sonores de cette entité monstrueuse surgissent dans un jeu de lignes visuelles : dans la première strophe, la ligne du « canal droit, marquant sa barre à l'infini », puis dans la deuxième strophe, les lignes de « longs murs noirs durant des lieues » dessinent un réseau qui se poursuit en de multiples ramifications dans un jeu de miroirs qui multiplie les usines : « Et plus lointains encor des toits d'autres usines » (v. 83). Ces lignes, extensibles à l'infini, excluent l'humain. Où que l'on se tourne dans ce paysage, on ne peut qu'assister à ce terrible « face-à-face » des usines avec elles-mêmes posé dès le vers 4, car elles ont envahi tout le paysage ; Verhaeren exploite cet effet de symétrie : les usines, se « regardant, se mirant » (v. 1, 2, 14), deviennent le miroir emblématique de la ville entière dont elles couvrent toute la surface, ce que confirme l'inversion des mots dans la reprise du vers 41 au vers 94 où nous passons « des usines et des fabriques symétriques » à « des fabriques et des usines symétriques » avec un rappel « de leurs yeux noirs et symétriques » (v. 14).

Tout en ronflant et grondant, le monstre a envahi le territoire des hommes et enferme ceux-ci dans une terrifiante géométrie.

b) Une humanité en détresse :
Que peut-on distinguer d'humain dans cet univers ? Le poète, dans son emploi emphatique de la préposition redondante « par à travers », suggère qu'il est difficile de découvrir des indices de présence humaine. De fait, le premier signe de vie circulant « par à travers les faubourgs lourds » est une allégorie* de la collectivité ouvrière apparaissant sous la forme de « la misère en pleurs » (v. 6) que l'on retrouve au vers 34. La misère

semble suivre le canal, dans la première strophe, descendre ensuite au fond des cours de la sixième strophe, puis cheminer le long «des chemins noirs et des routes de pierre» (v. 90). Serait-elle notre guide pour accéder à la compassion envers cette population de misérables?

Quelques silhouettes seront croisées : des femmes «en guenilles» sous la pluie dans les rues (v. 18); des «indigents» dans les cours (v. 38), subissant le malheur de la privation et de la pauvreté; des ouvriers exténués par «l'âpre effort» (v. 101) et privés de voix au sortir des fabriques où «la parole humaine [est] abolie» (v. 68); «des gens soûls» échoués dans les bars, après le travail, et ravalés à l'état de bêtes «dont les larges langues lapent» (v. 30-31) – l'allitération* en «l» soulignant ici leur animalisation comportementale : la langue ne permet plus de parler. L'incapacité de s'exprimer et de communiquer est le signe marquant de la déshumanisation de ces démunis. Ceux-ci sont en effet privés d'intériorité, ce que renforce l'emploi exclusif du pluriel collectif pour les désigner. Ils perdent ainsi toute individualité et se fondent dans une masse informe aliénée par le travail qui les réduit à l'état d'objets «automatiques» (v. 62).

c) La haine :
La dureté des conditions de vie se diffuse au sein de la population. Les rapports entre ces miséreux oscillent entre tension et indifférence comme l'attestent les relations de voisinages «troubles et mornes» qui engendrent «les haines s'entrecroisant de gens à gens / Et de ménages à ménages» (v. 35-37). Verhaeren décrit ici comment le tissu social se défait sous l'action du seul mode de relation existant, entre groupes comme entre individus : par le pluriel, la haine perd sa qualité de sentiment abstrait, s'applique à tous, se développe et s'amplifie dans la réciprocité, pour atteindre son paroxysme dans «le vol même entre indigents» (v. 38). La cruauté de cet univers apparaît alors d'une façon choquante, que souligne l'adverbe «même» : dénuement, absence totale de solidarité dans le malheur, agressivité entre les victimes de l'exploitation par le travail, envie entre des démunis…

Non seulement l'industrialisation a des effets néfastes sur les hommes, mais elle pousse en outre ces hommes à mutuellement se nuire, les dépossédant ainsi de toute humanité. La cruauté du monstre les a contaminés et Verhaeren présente le prolétariat comme une humanité sacrifiée.

3 – Le message du poète

a) Un avertissement :

L'intensité du tableau composé par Verhaeren est liée au choix d'une expression hyperbolique. Les usines osent ainsi s'attaquer à la nature avec des feux qui « mordent parfois le ciel, à coups d'abois et d'incendies » (v. 87). La vigueur de la métaphore* ajoute à la peinture une violence qui produit un sentiment de terreur. Le poète dénonce la démesure orgueilleuse des hommes rivalisant avec la puissance des éléments naturels. Les moulins qu'ils construisent deviennent des « moulins fous » (v. 57) comme « les gares folles de tintamarres » (v. 82); nous sommes vraiment plongés dans un univers « qui fermente de fièvre et de folie » (v. 66). La civilisation apparaît ainsi comme un retour à l'état barbare dans un monde primitif qu'éclairent des « feux sauvages » (v. 77).

L'univers n'est plus réglé par un mouvement universel harmonieux, auquel s'est substitué un mouvement « d'universel tictaquement » (v. 65) déformant les êtres, les choses et les éléments : les machines ont des « mâchoires d'acier [qui] mordent » (v. 44), les métiers à tisser sont dotés de « doigts méticuleux » (v. 49), le mouvement « déchiquette, avec ses dents d'entêtement » (v. 67), le « soleil hagard » erre « comme un aveugle » (v. 97-98)… Toutes ces perturbations brouillent les frontières entre les règnes, les métaphores signalant la déformation d'un monde malmené par la folie humaine, dans un tableau traversé par des phénomènes étranges, hallucinants, fantastiques.

b) L'écho des usines :

De même que dans l'obscurité surgissent parfois des éclats lumineux, le silence imposé à « la parole humaine abolie » renforce par contraste les éclats sonores qui explosent. Le poème est un exemple frappant de la manière dont Verhaeren traite le matériau sonore. D'une part, il est saturé d'assonances* et d'allitérations* assurant des effets de rimes

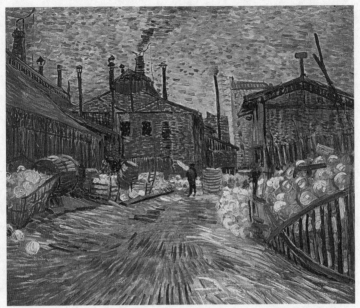

Dans *Les usines* (1887), Van Gogh peint des cheminées qui montent jusqu'au ciel et une perspective barrée par les murs des bâtiments industriels.

intérieures. D'autre part, un système de synesthésies* promeut une visualisation du son, décrit comme une matière. Dans les vers 69 et suivants, le vacarme sort d'abord de l'ombre, puis finit par donner l'impression de s'embraser ; simultanément le son est saisi comme un solide, à la différence du silence, présenté comme un liquide. En outre, la propagation du son est relatée en termes de mouvement ; on le voit monter, s'ériger, casser, se dresser :

> Plus loin, un vacarme tonnant de chocs
> Monte de l'ombre et s'érige par blocs ;
> Et, tout à coup, cassant l'élan des violences,
> Des murs de bruit semblent tomber
> Et se taire, dans une mare de silence,

> [...]
> **Des sifflets crus et des signaux**
> [...]
> **Dressant leurs feux sauvages,**
> **En buissons d'or, vers les nuages.**

Grâce à un tel travail de spatialisation du son, le poème surgit comme un écho du monde. Sa fonction est de plonger son lecteur dans le vacarme industriel, pour lui faire entendre ce que les ouvriers à « la parole humaine abolie » ne peuvent dénoncer eux-mêmes.

Verhaeren donne non seulement à voir mais aussi à entendre ; il répond ainsi à sa manière à l'appel de Victor Hugo, pour qui la vocation du poète était de se faire « l'écho sonore » de son siècle.

Notons toutefois que cette visite dans les bas-fonds des faubourgs, dont on sort aveuglé et assourdi comme d'un univers apocalyptique, s'achève malgré tout sur une illumination de l'horizon, probablement symbolique : Verhaeren ne s'incline pas devant le désespoir.

LA RÉVOLTE

1 La rue, en un remous de pas,
De torses et de dos d'où sont tendus des bras
Sauvagement ramifiés vers la folie,
Semble passer volante;
5 Et ses fureurs, au même instant, s'allient
À des haines, à des appels, à des espoirs;
La rue en or,
La rue en rouge, au fond des soirs.

Toute la mort
10 En des beffrois tonnants se lève;
Toute la mort, surgie en rêves,
Avec des faulx et des épées
Et des têtes atrocement coupées.

La toux des canons lourds,
15 Les lourds hoquets des canons sourds
Mesurent seuls les pleurs et les abois de l'heure.
Les hauts cadrans des horloges publiques,
Comme des yeux en des paupières,
Sont défoncés à coups de pierre :

20 Le temps normal n'existant plus
Pour les cœurs fous et résolus
Des multitudes faméliques.

La rage, elle a bondi de terre
Sur un monceau de pavés gris ;
25 La rage immense, avec des cris,
Avec du feu dans ses artères ;
La rage, elle a bondi
Féroce et haletante
Et si terriblement
30 Que son moment d'élan vaut à lui seul le temps
Que met un siècle en gravitant
Autour de ses cent ans d'attente.

Tout ce qui fut rêvé jadis ;
Ce que les fronts les plus hardis
35 Vers l'avenir ont instauré ;
Ce que les âmes ont brandi,
Ce que les yeux ont imploré,
Ce que toute la sève humaine
Silencieuse a renfermé,
40 S'épanouit, aux mille bras armés
De ces foules, brassant leur houle avec leurs haines.

C'est la fête du sang qui se déploie,
À travers la terreur, en étendards de joie :
Des gens passent rouges et ivres ;
45 Des gens passent sur des gens morts ;
Les soldats clairs, casqués de cuivre,
Ne sachant plus où sont les droits, où sont les torts,
Las d'obéir, chargent, mollassement,

Le peuple énorme et véhément
Qui veut enfin que sur sa tête
Luisent les ors sanglants et violents de la conquête.

Voici des docks et des maisons qui brûlent,
En façades de sang, sur le fond noir du crépuscule ;
L'eau des canaux en réfléchit les fumantes splendeurs,
De haut en bas, jusqu'en ses profondeurs ;
D'énormes tours obliquement dorées
Barrent la ville au loin d'ombres démesurées ;
Les bras des feux, ouvrant leurs mains funèbres,
Éparpillent des lambeaux d'or par les ténèbres ;
Et les brasiers des toits sautent en bonds sauvages,
Hors d'eux-mêmes, jusqu'aux nuages.

Aux vieux palais publics, d'où les échevins d'or
Jadis domptaient la ville et refoulaient l'effort
Et la marée en rut des multitudes fortes,
On pénètre, cognant et martelant les portes ;
Les clefs sautent, les gonds cèdent et les verrous ;
Des armoires de fer ouvrent de larges trous
Où s'empilent par tas les lois et les harangues ;
Une torche soudain les lèche avec sa langue,
Et tout leur passé noir s'envole et s'éparpille,
Tandis que dans la cave et les greniers on pille
Et qu'on jette dans les fossés du vieux rempart
Des morts coupant le vide avec leurs bras épars.

Dans les couvents, les chapelles et les églises,
Les verrières, où les martyres sont assises,
Jonchent le sol et s'émiettent comme du chaume ;
Un Christ, exsangue et long comme un fantôme,

Est lacéré et pend, tel un haillon de bois,
Au dernier clou qui perce encor l'or de sa croix ;
80 Le tabernacle, ardent et pur, où sont les chrêmes,
Est attaqué, à coups de poings et de blasphèmes ;
On soufflette les Saints près des autels debout
Et dans la grande nef, de l'un à l'autre bout,
– Telle une neige – on dissémine les hosties
85 Pour qu'elles soient, sous les talons, anéanties.

Tous les joyaux du meurtre et des désastres
Étincellent ainsi, sous l'œil des astres ;
La ville entière éclate
En pays d'or coiffé de flammes écarlates ;
90 La ville, au vent des soirs, vers les lointains houleux
Tend sa propre couronne énormément en feu ;
Toute la rage et toute la folie
Brassent la vie avec leur lie,
Si fort que, par instants, le sol semble trembler,
95 Et l'espace brûler
Et la fumée et ses fureurs s'écheveler et s'envoler
Et balayer les grands cieux froids.

– Tuer, pour rajeunir et pour créer ;
Ou pour tomber et pour mourir, qu'importe !
100 Passer ; ou se casser les poings contre la porte !
Et puis – que son printemps soit vert ou qu'il soit rouge –
N'est-elle point, dans le monde, toujours,
Haletante, par à travers les jours,
La puissance profonde et fatale qui bouge !

LE MASQUE

La couronne formidable des rois
En s'appuyant de tout son poids
Sur ce masque de cire
Semblait broyer et mutiler
L'empire.

Le pâle émail des yeux usés
S'était fendu en agonies
Minuscules, mais infinies,
Sous les sourcils décomposés.

Le front avait été l'éclair,
Avant que les pâles années
N'eussent rivé les destinées,
Sur ce bloc mort de morne chair.

Les crins encore étaient ardents,
Mais la colossale mâchoire,
Mi-ouverte, laissait la gloire
Tomber morte d'entre les dents.

Depuis des temps qu'on ne sait pas,
La couronne, violemment cruelle,
20 De sa poussée indiscontinuelle
Ployait le chef toujours plus las.

Les astuces, les perfidies
Louchaient en ses joyaux taillés,
Et les meurtres, les sangs, les incendies
25 Semblaient reluire entre ses ors caillés.

Elle écrasait et abattait
Ce qui jadis était la gloire :
Ce front géant qui la portait
Et la dardait vers les victoires
30 Si bien qu'ainsi s'accomplissait, sans bruit,
L'œuvre d'une force qui se détruit,
Obstinément, soi-même,
Et finit par se définir
Pour l'avenir
35 Dans un emblème.

Couronne et tête étaient placées,
Couronne ardente et tête autoritaire,
En un logis de verre,
Au fond d'un hall, dans un musée.

UNE STATUE[1]

1 Prenant pour guide clair l'astre qu'était son âme,
À travers des pays d'ouragans et de flammes,
Il s'en était allé si loin vers l'inconnu
Que son siècle vieux et chenu,
5 Toussant la peur, au vent trop fort de sa pensée,
L'avait férocement enseveli sous la risée.

Il en était ainsi, depuis des tas d'années
Au long des temps échelonnées,
Quand un matin la ville, où son nom était mort,
10 Se ressouvint de lui – homme âpre et grandiose –
Et l'exalta et le grandit en une pose
De penseur accoudé sur un roc d'ombre et d'or.

On inscrivit sur ce granit de gloire
L'exil subi, la faim et la prison,
15 Et l'on tressa, comme une floraison,
Son crime ancien, autour de sa mémoire.

1. Ici, statue d'apôtre.

On lui prit sa pensée et l'on en fit des lois ;
On lui prit sa folie et l'on en fit de l'ordre ;
Et ses railleurs d'antan ne savaient plus où mordre
20 Le battant de tocsin qui sautait dans sa voix.

Et seul, son geste fier domina la cité
Où l'on voyait briller, agrandi de mystère,
Son front large, puissant, tranquille et comme austère
D'être à la fois d'un temps et de l'éternité.

LA MORT

1 **A**vec ses larges corbillards
    Ornés de plumes majuscules,
    Par les matins, dans les brouillards,
    La mort circule.

5 Parée et noire et opulente,
    Tambours voilés, musiques lentes,
    Avec ses larges corbillards,
    Flanqués de quatre lampadaires,
    La Mort s'étale et s'exagère.

10 Pareils aux nocturnes trésors,
    Les gros cercueils écussonnés
    – Larmes d'argent et blasons d'or –
    Écoutent l'heure éclatante des glas
    Que les cloches jettent, là-bas :
15 L'heure qui tombe, avec des bonds
    Et des sanglots, sur les maisons,
    L'heure qui meurt sur les demeures,
    Avec des bonds et des sanglots de plomb.

    Parée et noire et opulente,
20 Au cri des orgues violentes
    Qui la célèbrent,
    La mort tout en ténèbres
    Règne, comme une idole assise,
    Sous la coupole des églises.

25 Des feux, tordus comme des hydres,
    Se hérissent, autour du catafalque immense,
    Où des anges, tenant des faulx et des clepsydres[1],
    Dressent leur véhémence,
    Clairons dardés, vers le néant.

30 Le vide en est grandi sous le transept béant ;
    De hautes voix d'enfants
    Jettent vers les miséricordes
    Des cris tordus comme des cordes,
    Tandis que les vieilles murailles
35 Montent, comme des linceuls blancs,
    Autour du bloc formidable et branlant
    De ces massives funérailles.

    Drapée en noir et familière,
    La Mort s'en va le long des rues
40 Longues et linéaires.

    Drapée en noir, comme le soir,
    La vieille Mort agressive et bourrue
    S'en va par les quartiers
    Des boutiques et des métiers,

---

1. Clepsydres : appareils à mesurer le temps par écoulement d'eau.

45 En carrosse qui se rehausse
De gros lambris exorbitants,
Couleur d'usure et d'ancien temps.

Drapée en noir, la Mort
Cassant, entre ses mains, le sort
50 Des gens méticuleux et réfléchis
Qui s'exténuent, en leurs logis,
Vainement, à faire fortune,
La Mort soudaine et importune
Les met en ordre dans leurs bières
55 Comme en des cases régulières.

Et les cloches sonnent péniblement
Un malheureux enterrement,
Sur le défunt, que l'on trimballe,
Par les églises colossales,
60 Vers un coin d'ombre, où quelques cierges,
Pauvres flammes, brûlent, devant la Vierge.

Vêtue en noir et besogneuse,
La Mort gagne jusqu'aux faubourgs,
En chariot branlant et lourd,
65 Avec de vieilles haridelles
Qu'elle flagelle
Chaque matin, vers quels destins?
Vêtue en noir,
La Mort enjambe le trottoir
70 Et l'égout pâle, où se mirent les bornes,
Qui vont là-bas, une à une, vers les champs mornes;
Et leste et rude et dédaigneuse
Gagne les escaliers et s'arrête sur les paliers

Où l'on entend pleurer et sangloter,
75 Derrière la porte entr'ouverte,
Des gens laissant l'espoir tomber,
Inerte.

Et dans la pluie indéfinie,
Une petite église de banlieue,
80 Très maigrement, tinte un adieu,
Sur la bière de sapin blanc
Qui se rapproche, avec des gens dolents,
Par les routes, silencieusement.

Telle la Mort journalière et logique
85 Qui fait son œuvre et la marque de croix
Et d'adieux mornes et de voix
Criant vers l'inconnu les espoirs liturgiques.

Mais d'autres fois, c'est la Mort grande et sa légende,
Avec son aile au loin ramante,
90 Vers les villes de l'épouvante.

Un ciel étrange et roux brûle la terre moite ;
Des tours noires s'étirent droites
Telles des bras, dans la terreur des crépuscules ;
Les nuits tombent comme épaissies,
95 Les nuits lourdes, les nuits moisies,
Où, dans l'air gras et la chaleur rancie,
Tombereaux pleins, la Mort circule.

Ample et géante comme l'ombre,
Du haut en bas des maisons sombres,

100 On l'écoute glisser, rapide et haletante.
      La peur du jour qui vient, la peur de toute attente,
      La peur de tout instant qui se décoche,
      Persécute les cours, partout,
      Et redresse, soudain, en leur sueur, debout,
05 Ceux qui, vers le minuit, songent au matin proche.

      Les hôpitaux gonflés de maladies,
      Avec les yeux fiévreux de leurs fenêtres rouges,
      Regardent le ciel trouble, où rien ne bouge
      Ni ne répond aux détresses grandies.

110 Les égouts roulent le poison
      Et les acides et les chlores,
      Couleur de nacre et de phosphore,
      Vainement tuent sa floraison.

      De gros bourdons résonnent
115 Pour tout le monde, pour personne ;
      Les églises barricadent leur seuil,
      Devant la masse des cercueils.

      Et l'on entend, en galops éperdus,
      La mort passer et les bières que l'on transporte
120 Aux nécropoles, dont les portes,
      Ni nuit ni jour, ne ferment plus.

      Tragique et noire et légendaire,
      Les pieds gluants, les gestes fous,
      La Mort balaie en un grand trou
125 La ville entière au cimetière.

LA RECHERCHE

1 Chambres et pavillons, tours et laboratoires,
Avec, sur leurs frises, les sphinx évocatoires
Et vers le ciel, braqués, les télescopes d'or.

C'est la maison de la science au loin dardée,
5 Par à travers les faits jusqu'aux claires idées.

Flacons jaunes, bleus, verts, pareils à des trésors;
Cristaux monumentaux et minéraux jaspés;
Prismes dans le soleil et ses rayons trempés;
Creusets ardents, godets rouges, flammes fertiles,
10 Où se transmuent les poussières subtiles;
Instruments nets et délicats,
Ainsi que des insectes,
Ressorts tendus et balances correctes,
Cônes, segments, angles, carrés, compas,
15 Sont là, vivant et respirant dans l'atmosphère
De lutte et de conquête autour de la matière.

Dites! quels temps versés au gouffre des années,
Et quelle angoisse ou quel espoir des destinées,

Et quels cerveaux chargés de noble lassitude
20 A-t-il fallu pour faire un peu de certitude?

Dites! l'erreur plombant les fronts; les bagnes
De la croyance où le savoir marchait au pas;
Dites! les premiers cris, là-haut, sur la montagne,
Tués par les bruits sourds de la foule d'en bas.

25 Dites! les feux et les bûchers; dites! les claies[1];
Les regards fous en des visages d'effroi blanc;
Dites! les corps martyrisés, dites! les plaies
Criant la vérité, avec leur bouche en sang.

C'est la maison de la science au loin dardée,
30 Par à travers les faits jusqu'aux vastes idées.

Avec des yeux
Méticuleux ou monstrueux,
On y surprend les croissances ou les désastres
S'échelonner, depuis l'atome jusqu'à l'astre.
35 La vie y est fouillée, immense et solidaire,
En sa surface ou ses replis miraculeux,
Comme la mer et ses vallons houleux,
Par le soleil et ses mains d'or myriadaires.

Chacun travaille, avec avidité,
40 Méthodiquement lent, dans un effort d'ensemble;
Chacun dénoue un nœud, en la complexité
Des problèmes qu'on y rassemble;

1. Claies : allusion à un supplice des temps médiévaux où le corps, étendu sur
une claie, était traîné par un cheval.

Et tous scrutent et regardent et prouvent,
Tous ont raison – mais c'est un seul qui trouve !

45 Ah celui-là, dites ! de quels lointains de fête,
Il vient, plein de clarté et plein de jour ;
Dites ! avec quelle flamme au cœur et quel amour
Et quel espoir illuminant sa tête ;
Dites ! comme à l'avance et que de fois
50 Il a senti vibrer et fermenter son être
Du même rythme que la loi
Qu'il définit et fait connaître.

Comme il est simple et clair devant les choses,
Et humble et attentif, lorsque la nuit
55 Glisse le mot énigmatique en lui
Et descelle ses lèvres closes ;
Et comme en s'écoutant, brusquement, il atteint,
Dans la forêt toujours plus fourmillante et verte,
La blanche et nue et vierge découverte
60 Et la promulgue au monde ainsi que le destin.

Et quand d'autres, autant et plus que lui,
Auront à leur lumière incendié la terre
Et fait crier l'airain des portes du mystère,
– Après combien de jours, combien de nuits,
65 Combien de cris poussés vers le néant de tout,
Combien de vœux défunts, de volontés à bout
Et d'océans mauvais qui rejettent les sondes –
Viendra l'instant, où tant d'efforts savants et ingénus,
Tant de cerveaux tendus vers l'inconnu,

70 Quand même, auront bâti sur des bases profondes
Et s'élançant au ciel, la synthèse des mondes!

C'est la maison de la science au loin dardée
Par à travers les faits, jusqu'aux fixes idées.

LES IDÉES

1 Sur la Ville, dont les désirs flamboient,
Règnent, sans qu'on les voie,
Mais évidentes, les idées.

On les rêve parmi les brumes, accoudées
5 En des lointains, là-haut, près des soleils.

Aubes rouges, midis fumeux, couchants vermeils,
Dans le tumulte violent des heures,
Elles demeurent.

Et la première et la plus vaste, c'est la force
10 Multipliée en bras et déployée en torses
Aux jours de violence et de férocité ;
Mais d'autres fois, ferme et sereine,
Quand une âme lucide et patiente entraîne
Les foules souveraines
15 Sous le joug d'or où les ploiera sa volonté.

Depuis que se mangent ou se fécondent,
À chaque instant qui naît, qui meurt, les mondes,

La force est dans l'atome et l'atome vibre d'elle;
Elle est l'ardeur de la conquête universelle;
20   Indifférente au bien, au mal, mais haletante
Dans chaque assaut, dans chaque élan, dans chaque attente,
Elle dresse la gloire et ses palmes, dans l'air;
Elle est volante et dirige l'éclair
Vers la mêlée inextricable où le sort bouge
25   Et la victoire est suspendue à son poing rouge.
Et voici la justice et la pitié, jumelles;
Mères au double cœur dont les claires mamelles
Versent le jour clément et se penchent vers tous.
Ceux d'aujourd'hui les déclarent deux ennemies
30   Luttant avec des cris et des antinomies,
Au nom de Christ, le maître abominable ou doux,
Selon celui qui interprète ses paroles.
La loi qui est déesse, on la proclame idole;
Et les codes sont des meutes qu'on dresse à mordre
35   Et la peur règne – mais l'ordre,
Qui doit s'ouvrir comme une grande fleur
Libre et sûre, malgré ses milliers de pétales,
Puisera sa vertu et son ardeur
Immensément, dans l'équité totale.

40   Oh! l'avenir montré tel qu'un pays de flamme,
Comme il est beau devant les âmes
Qui, malgré l'heure, ont confiance en leur vouloir.
Tant de siècles ne détiennent l'espoir,
Depuis mille et mille ans, indestructible,
45   Sans que tous les désirs ligués, frappant la cible,
Ne tuent un jour la haine et n'instaurent l'amour.
La conscience humaine est sculptée en contours
Puissants et délicats que, sans cesse, on affine

Pour transmuer sa vie en facultés divines
50 Et créer le bonheur que promettait un Dieu.
Le futur éclatant est un oiseau de feu,
Dont les plumes, une par une,
Se détachant de l'aile et retombant vers nous,
Frôlent de joie et de splendeur nos regards fous.

55 Et plus haute que n'est la force et la justice,
Par au delà du vrai, du faux, de l'équité,
Plus loin que la vertu ou que le vice,
Luit la beauté.
Touffue et claire,
60 Méduse ténébreuse et Minerve solaire,
Fondant le double mythe en unique splendeur,
Elle exalte par sa grandeur.
Sublime, elle a pour prêtres les génies
Qui communient
65 De la lumière de ses yeux ;
Les temps sont datés d'elle et marchent glorieux
Dès que sa volonté leur est douce et amie ;
Son poing crispé saisit les mille antinomies
Et les assemble et les resserre et les unit,
70 Pour tordre et pour forger, d'un coup, tout l'infini.

La rose Égypte et la Grèce dorée
Jadis, aux temps des Dieux, l'ont instaurée
En des temples d'où s'envolait l'oracle ;
Et Paris et Florence ont rêvé le miracle
75 D'être, à leur tour, l'autel où ses pieds clairs,
Vibrants d'ailes, se poseraient sur l'univers.
Aujourd'hui même, elle apparaît dans les fumées
Les yeux offerts, les mains encor fermées,

Le corps revêtu d'or et de soleil ;
80 Un feu nouveau d'entre ses doigts vermeils
Glisse et provoque aux conquêtes certaines,
Mais la vénale ardeur des tapages modernes
Déchaîne un bruit si fort, sous les cieux ternes,
Que l'appel clair vers ses fervents s'entend à peine.

85 Et néanmoins elle est la totale harmonie
Qui se transforme et se restaure à l'infini,
En se servant des mille efforts que l'on croit vains.
Elle est la clef du cycle humain,
Elle suggère à tous l'existence parfaite,
90 La simple joie et l'effort éperdu,
Vers les temps clairs, illuminés de fêtes
Et sonores, là-bas, d'un large accord inentendu.
Quiconque espère en elle est au delà de l'heure
Qui frappe aux cadrans noirs de sa demeure ;
95 Et tandis que la foule abat, dans la douleur,
Ses pauvres bras tendus vers la splendeur,
Parfois, déjà, dans le miracle, où quelque âme s'isole,
La beauté passe – et dit les futures paroles.

Sur la Ville, d'où les désirs flamboient,
100 Règnent, sans qu'on les voie,
Mais évidentes, les idées.

VERS LE FUTUR

1   *Ô race humaine aux destins d'or vouée,*
    As-tu senti de quel travail formidable et battant,
    Soudainement, depuis cent ans,
    Ta force immense est secouée ?

5   *L'acharnement à mieux chercher, à mieux savoir,*
    Fouille comme à nouveau l'ample forêt des êtres,
    Et malgré la broussaille où tel pas s'enchevêtre
    L'homme conquiert sa loi des droits et des devoirs.

    Dans le ferment, dans l'atome, dans la poussière,
10 *La vie énorme est recherchée et apparaît.*
    Tout est capté dans une infinité de rets
    Que serre ou que distend l'immortelle matière.

    Héros, savant, artiste, apôtre, aventurier,
    Chacun troue à son tour le mur noir des mystères
15 *Et grâce à ces labeurs groupés ou solitaires,*
    L'être nouveau se sent l'univers tout entier.

Et c'est vous, vous les villes,
Debout
De loin en loin, là-bas, de l'un à l'autre bout
20 Des plaines et des domaines,
Qui concentrez en vous assez d'humanité,
Assez de force rouge et de neuve clarté,
Pour enflammer de fièvre et de rage fécondes
Les cervelles patientes ou violentes
25 De ceux
Qui découvrent la règle et résument en eux
Le monde.

L'esprit de la campagne était l'esprit de Dieu ;
Il eut la peur de la recherche et des révoltes,
30 Il chut ; et le voici qui meurt, sous les essieux
Et sous les chars en feu des nouvelles récoltes.

La ruine s'installe et souffle aux quatre coins
D'où s'acharnent les vents, sur la plaine finie,
Tandis que la cité lui soutire de loin
35 Ce qui lui reste encor d'ardeur dans l'agonie.

L'usine rouge éclate où seuls brillaient les champs ;
La fumée à flots noirs rase les toits d'église ;
L'esprit de l'homme avance et le soleil couchant
N'est plus l'hostie en or divin qui fertilise.

40 Renaîtront-ils, les champs, un jour, exorcisés
De leurs erreurs, de leurs affres, de leur folie ;
Jardins pour les efforts et les labeurs lassés,
Coupes de clarté vierge et de santé remplies ?

Referont-ils, avec l'ancien et bon soleil,
45 Avec le vent, la pluie et les bêtes serviles,
En des heures de sursaut libre et de réveil,
Un monde enfin sauvé de l'emprise des villes?

Ou bien deviendront-ils les derniers paradis
Purgés des dieux et affranchis de leurs présages,
50 Où s'en viendront rêver, à l'aube et aux midis,
Avant de s'endormir dans les soirs clairs, les sages?

En attendant, la vie ample se satisfait
D'être une joie humaine, effrénée et féconde;
Les droits et les devoirs? Rêves divers que fait,
55 Devant chaque espoir neuf, la jeunesse du monde!

Arrêt
sur
lecture 3

De l'anéantissement à l'espoir

La ville, empire de tous les vices, est aussi le lieu de tous les changements; c'est ce que s'attache à montrer Verhaeren dans les derniers poèmes des *Villes tentaculaires*, où apparaissent les grandes forces capables de faire évoluer la société. Évolution négative ou progrès? La fin du recueil est organisée en deux volets mettant en perspective la double dynamique de l'histoire, qui peut faire table rase des erreurs du passé et permettre des espoirs nouveaux. Les forces agissantes qui travaillent pour la métamorphose de la ville sont d'abord destructrices, puis apparaît l'énergie positive qui donne à l'excipit du recueil son élan final.

Les forces de destruction à l'œuvre

La ville chargée de tout son passé subit, dans le long poème « La Révolte », les attaques de l'émeute populaire. Verhaeren présente ici une étape charnière dans son recueil.

Les contrastes avec les poèmes précédents – Dans « La Révolte », nous assistons à un renversement du statut de la population ouvrière des villes : les automates soumis aux machines dans les usines se rebellent, « les empreintes de rage » et les « gouttes de sang » qu'ils laissaient sur « la matière carnassière » dans le poème liminaire se concentrent maintenant en une « rage immense » et « féroce » (v. 25-28) qui peint « la rue en rouge » (v. 8). La parole dont les ouvriers étaient dépossédés renaît sous la forme de cris vivifiants, libérant « ce que toute la sève humaine / Silencieuse a renfermé » (v. 38-39). À la fureur des capitalistes qui, poussés par « la rage de l'or », montaient à l'assaut de la bourse répond l'insurrection populaire, avec « ses fureurs [qui] s'allient / À des haines » (v. 5-6) et sa « rage immense ». Au « rêve d'état strict et géométrique » du bourgeois dont la statue défendait « son piédestal massif comme son coffre-fort », à la frénésie « folle et sauvage » des consommateurs se ruant dans le bazar, temple de la consommation, s'opposent les « appels », « les espoirs » d'une foule qui ouvre « les vieux palais » et s'empare des richesses longtemps interdites (v. 62-73) :

> On pénètre, cognant et martelant les portes
> Les clefs sautent, les gonds cèdent et les verrous;
> Des armoires de fer ouvrent de larges trous
> [...]
> Tandis que dans la cave et les greniers on pille.

Quant au « cru désir » affolant les hommes qui « autour de femelles rouges [...] s'assemblent et s'ameutent » (« L'Étal », v. 50-51), il devient une force dans « la marée en rut » qui déferle dans la rue. Enfin, « l'élan clair » qui avait dressé les cathédrales vouées à « l'éternité du culte » est nié et brisé par la foule des insurgés attaquant les monuments et les lieux religieux : « Dans les couvents, les chapelles et les églises », on détruit les statues des saints et les hosties « pour qu'elles soient, sous les talons, anéanties. » (v. 74-85)

L'émergence d'un nouveau corps – Le corps monstrueux des villes tentaculaires semble ici enfanter un nouveau corps : celui des « multitudes faméliques » (v. 22) qui se répandent dans la rue et absorbent l'énergie des artères urbaines. Maintenant la foule bondit sur les pavés « avec du feu dans ses artères ». Ce transfert d'énergie s'opère dans une violence régénératrice, « la sève humaine [...] s'épanouit » (v. 38-40) et l'on voit apparaître un corps social : « Le peuple énorme et véhément » qui accède à l'existence (v. 49). Ainsi le monstre tentaculaire, par sa violence, engendre le corps du prolétariat, qui surgit dans les cris et dans le sang. En effet, « sur sa tête / Luisent les ors sanglants », et la ville n'est plus que « façades de sang » (v. 51-53).

Éléments pour une lecture de « La Révolte »

L'abolition du passé – À travers la destruction des docks, des maisons, des tours, des vieux palais publics et de tous les monuments du passé, l'agonie de l'ancien monde est peinte dans une atmosphère apocalyptique qui n'est pas sans rappeler la destruction des villes maudites punies par la colère divine. Mais c'est cette fois l'aspiration révolutionnaire d'un peuple exaspéré par les frustrations qui vient briser le cours du temps. La révolte populaire sonne le glas de la cohésion illusoire qui rassemblait les fidèles par la prière dans les cathédrales. Les siècles dont l'écoulement avait permis l'instauration des hiérarchies sociales et la concentration des richesses ne résistent pas à l'émeute. Les jets de pierres qui défoncent « les hauts cadrans des horloges publiques » (v. 17) sont symboliques : par la comparaison* du vers 18, ces cadrans évoquent les yeux de la ville qui, aveuglée, ne peut juguler l'insurrection. Les horloges de la ville ont perdu la maîtrise du temps, maintenant rythmé par le son des canons, qui étouffent « les pleurs et les abois de l'heure » (v. 16). Ainsi, « le temps normal n'existant plus » (v. 20), un nouveau temps historique peut impulser son élan et rattraper le temps perdu par les déshérités (v. 30-32) :

> Que son moment d'élan vaut à lui seul le temps
> Que met un siècle en gravitant
> Autour de ses cent ans d'attente.

Dès lors il devient possible d'envisager que « ce qui fut rêvé jadis » (v. 33) devienne un jour réalité. L'élan destructeur de la révolte est bien pour Verhaeren force de vie autant que de mort, comme l'indique la fin du poème : « – Tuer, pour rajeunir et pour créer. »

Une vision de violence collective – Attentif et sensible aux tensions sociales de son temps et au choix de la lutte violente prôné par les adeptes des grèves et des émeutes dans le Parti ouvrier belge, Verhaeren évoque les fureurs révolutionnaires dans une atmosphère naturaliste comparable à celle d'Émile Zola présentant les grévistes et les émeutes dans *Germinal* (1885).

La dramatisation de cette scène collective est assurée par le champ lexical* de la guerre : proche de la guerre civile, l'insurrection prolétaire est un hurlement de guerre : les «beffrois tonnants» et «la toux des canons lourds / Les lourds hoquets des canons» explosent, étouffant «les abois» des horloges, précédant «la rage immense, avec des cris» (v. 10-14-15-25), avant l'arrivée des «soldats, casqués de cuivre» (v. 46). La dynamique de l'élan est exprimée par des termes de mouvement : on voit ainsi la rue «volante», la mort qui «se lève», puis c'est la rage qui «a bondi». Le mouvement est enrichi par une série de verbes diversifiant les actions agressives : défoncer, cogner, marteler, jeter, lacérer, attaquer, souffleter… Cet élan «véhément» (v. 49) est suscité par une détermination farouche : «Passer ; ou se casser les poings contre la porte !» (v. 100). Le thème guerrier est associé à l'image de la marée humaine qui déferle dans les rues, image certes conventionnelle, mais que Verhaeren n'hésite pas à bousculer : «la marée en rut» conjugue l'énergie de la rage, de la folie et du désir ; c'est une pulsion «haletante» (v. 28-103). *Les Villes tentaculaires* exhalent une poésie de l'énergie et de l'action qui vise par tous les moyens à exprimer «la puissance profonde et fatale qui bouge !»

Un tableau de feu – Dans ce tableau apocalyptique, le poète utilise en peintre la palette qui lui est chère : il prépare dès la première strophe l'arrière-plan sombre des moments graves, maintenu jusqu'à la fin du poème (v. 53, 90), pour mieux exploiter ensuite le contraste visuel créé par l'or et le rouge :

> La rue en or,
> La rue en rouge, au fond des soirs.

Le rouge, qui annonce le sang versé par les émeutiers et la rue ensanglantée, donne au poème sa tonalité épique ; les «têtes atrocement coupées» (v. 13) sont le prix à payer pour la victoire du peuple qui «veut enfin que sur sa tête / Luisent les ors sanglants et violents de la conquête» (v. 50-51). Mais cette couleur prend aussi sous la plume du poète des reflets incendiaires. Le feu est une force qui passe par les artères des émeutiers (v. 26) et les flammes qui se répandent sur la ville devenue brasier déploient leurs «bras […] ouvrant leurs mains funèbres» (v. 58). L'or et le feu se combinent de telle sorte que l'on passe de «la fête du sang» (v. 42) au spectacle grandiose d'une ville transformée en «un pays d'or coiffé de flammes écarlates» (v. 89).

Après avoir joué avec les miroitements du feu sur «l'eau des canaux» et avec les projections des «ombres démesurées» (v. 54-57), le regard du poète est attiré vers le ciel. Surgie depuis «un monceau de pavés gris» (v. 24), la rage se déploie dans toute son ampleur : on peut alors voir «la fumée et ses fureurs s'écheveler et s'envoler / Et balayer les grands cieux froids» (v. 96-97).

Telle apparaît la ville, peut-être purifiée de sa monstruosité par le feu et recevant sa nouvelle couronne de flammes. Toutefois, le parcours de l'humanité dans *Les Villes tentaculaires* n'est pas achevé : Peut-on voir dans ce «pays d'or» une préfiguration d'un retour possible à l'âge d'or ? Verhaeren semble maintenir le doute avant d'achever son tableau, car il est possible que le «printemps soit vert ou qu'il soit rouge»…

Éléments pour une lecture de «La Mort»

L'œuvre de destruction se poursuit à l'arrivée de la mort qui trouve dans la ville un espace où se répandre. Comme le mal suprême, elle touche tous ceux que les villes tentaculaires rassemblent, et devient le sujet d'un long poème qui constitue le point d'orgue des visions effrayantes de la cité, avant la clôture plus lumineuse du recueil.

Le personnage allégorique – Figure macabre circulant dans la ville, l'allégorie* de la Mort, signalée par sa majuscule initiale, est dotée des attributs traditionnels que lui prête «sa légende» (v. 88). Sa couleur emblématique est rappelée comme un leitmotiv* tout au long du poème : «parée» ou «drapée» de noir, elle circule ainsi dans la ville jusqu'aux derniers vers, «tragique et noire et légendaire».

Rappelons que son apparition avait été préparée dès le début de «La Révolte», où elle surgissait «avec des faulx». L'instrument de la grande faucheuse a disparu dans le poème qui lui est consacré, mais elle a conservé les gestes de la tradition et «balaie […] La ville entière» sur son passage, accompagnée de ses «larges corbillards».

James Ensor représente *La mort*. Sous ses ailes déployées comme si elle était un ange, la mort emporte l'humanité souffrante.

La fonction de la mort – Comme une apparition fantastique, la mort frappe une masse anonyme promise à une même fin, riches et pauvres confondus, malgré la différence illusoire entre « les gros cercueils écussonnés » et le « chariot branlant » (v. 11 et 64), entre de « massives funérailles » et « un malheureux enterrement » (v. 37 et 57). Qu'elle soit « opulente » ou « besogneuse » (v. 19 et 62), elle agit implacablement et traite chacun de façon identique, devenant ainsi un terrifiant agent de l'égalité. Mettant à sa manière les défunts « en ordre dans leurs bières / Comme en des cases régulières » (v. 54-55), elle abolit les hiérarchies sociales.

En outre, elle semble narguer les vaines productions de la modernité, impuissantes devant les épidémies que propagent les égouts. Circulant « dans l'air gras et la chaleur rancie » (v. 96), la mort remplit ses tombereaux, comme elle remplit les hôpitaux, eux-mêmes frappés par l'épidémie : un double hypallage* décrit en effet « les yeux fiévreux de leurs fenêtres rouges » (v. 107). Balayant tout sur son passage, la Mort finit par transformer les villes en « nécropoles » (v. 120). L'énergie orgueilleuse qui avait poussé les hommes à édifier les villes se renverse : achevant son œuvre à la fin du poème, «la Mort balaie en un grand trou / La ville entière au cimetière».

Cet anéantissement final n'est soulagé par aucune pensée religieuse : les services mortuaires paraissent stériles; ce sont des parodies de cérémonies avec leurs «sanglots de plomb» (v. 18), leurs «cris tordus» (v. 33), leurs cierges aux «pauvres flammes» (v. 61), leurs cortèges de «gens dolents» (v. 82). En réalité, aucun secours n'est à attendre de la religion et «les églises barricadent leur seuil» (v. 116).

De «La Révolte» à «La Mort» : conclusion sur le parcours allégorique

Après le chaos engendré par la révolte populaire, Verhaeren propose une saisissante vision de l'agonie de la ville. On ne peut manquer de remarquer d'étranges ressemblances entre la rue, qui «semble passer volante», et la Mort, «avec son aile rampante»; entre la rage, «féroce et haletante» et la Mort, «rapide et haletante» : les caractérisations adjectivales presque identiques rapprochent les deux poèmes par un même travail d'écriture allégorique. Dans un élan similaire, des forces personnifiées traversent et détruisent l'œuvre d'une civilisation corrompue. Verhaeren entend-il suggérer que ces forces en marche doivent piétiner tout ce qui a causé la misère physique et morale des villes? Assistons-nous à l'étape où l'Histoire peut enfin changer le cours du monde?

Si la ville moderne a accompli sa mue dans «La Révolte», accouchant d'un nouveau corps social, «La Mort» pourrait bien être le signe qu'un monde doit disparaître pour que l'Histoire se remette en marche. Le feu, qui à plusieurs reprises incendie l'horizon urbain, joue ici le rôle qu'il avait dans le mythe du Phénix* capable de renaître de ses cendres; Verhaeren choisit de communiquer ce don prodigieux à l'aile de la Mort comme à la rue volante.

Les énergies positives

Dans son triptyque* final composé par « La Recherche », « Les Idées » et « *Vers le futur* », Verhaeren œuvre pour la création d'un nouveau mythe où le progrès apparaît comme une force agissante dans un monde en mutation.

Un nouvel espace urbain

L'énumération initiale des nouveaux lieux assure la promotion d'une nouvelle vision de la ville, dans une approche panoramique :

> Chambres et pavillons, tours et laboratoire,
> [...]
> Et vers le ciel, braqués, les télescopes d'or.

Le mouvement d'élévation se poursuit dans le distique suivant, repris deux fois comme un leitmotiv* avec de légères variations jusqu'à la fin du poème (v. 29-30 et 72-73) :

> C'est la maison de la science au loin dardée,
> Par à travers les faits jusqu'aux vastes idées.

L'espace de la recherche est non seulement source d'une lumière qui se diffuse au loin mais concentre en son sein, quand on y entre, un foisonnement de couleurs lumineuses (v. 6-9) :

> Flacons jaunes, bleus, verts, pareils à des trésors ;
> Cristaux monumentaux et minéraux jaspés ;
> [...] Creusets ardents, godets rouges...

L'activité qui s'y déploie est comparée aux « mains d'or » du soleil (v. 35-38). Les idées qui animent la maison de la science sont « claires », « vastes », puis « fixes ». Dans le poème suivant qui leur est consacré, le poète fait ainsi défiler les allégories* : « c'est la force » (v. 9) ; « Et voici la justice et la pitié » (v. 26) ; enfin « la beauté passe » (v. 98).

Le visible et l'invisible

Malgré l'abstraction de cet espace voué aux travaux de l'esprit, une description réaliste donne une présence concrète aux instruments de l'étude scientifique ; dans les lieux où se déroule la recherche, nous rencontrons des « flacons, cristaux, creusets, godets, ressorts, balances ».

Toutefois des images enveloppent ces objets dans un mystère diffus : les flacons sont « pareils à des trésors » (v. 6), les instruments sont comparés à « des insectes » (v. 12) et les découvertes font « crier l'airain des portes du mystère » (v. 63). On ne s'étonnera pas que d'emblée ait été signalée la présence des « sphinx évocatoires » (v. 2) !

Verhaeren semble vraiment vouloir nous faire percer l'invisible, comme l'indique le tercet qui encadre « Les Idées » :

> Sur la Ville, dont les désirs flamboient,
> Règnent, sans qu'on les voie,
> Mais évidentes, les idées.

Ainsi le poète reprend le mode allégorique : après la Mort, c'est maintenant la force qui est « haletante » (v. 20) et « volante » (v. 23).

La mutation de la ville

Les feux de la ville ne sont plus comparés à des « hydres » (« La Mort », v. 25), mais ont l'énergie vitale de « flammes fertiles » (« La Recherche », v. 9). Le feu qu'entrevoit le poète n'est plus vengeur comme dans « La Révolte » ou destructeur comme dans « La Mort », c'est « un feu nouveau » et purificateur qui illumine le monde des « Idées » (v. 80). C'est une énergie positive qui fait reculer les forces mortifères de la civilisation : une « force rouge » et une « neuve clarté » viennent ainsi « enflammer de fièvre et de rage fécondes / Les cervelles » (« Vers le futur », v. 22-24). Pour rendre compte du renouveau permis par l'essor de la science, Verhaeren puise dans le mythe du Phénix* (« Les Idées », v. 51-54) :

> Le futur éclatant est un oiseau de feu,
> Dont les plumes, une par une,
> Se détachant de l'aile et retombant vers nous,
> Frôlent de joie et de splendeur nos regards fous.

La charge symbolique du feu est exploitée pour développer de nouvelles images qui remplacent le monstre tentaculaire et condensent les références aux mythes anciens : « Méduse* ténébreuse et Minerve solaire, / Fondant le double mythe en unique splendeur » (v. 60-61). À l'aigle noir aux serres de basalte qui planait sur la ville au début du recueil se substitue un oiseau aux « pieds clairs, / Vibrants d'ailes […] / Le corps revêtu d'or et de soleil ; / Un feu nouveau d'entre ses doigts vermeils » (v. 75-80). La beauté a supplanté la monstruosité.

L'apôtre, un guide vers le progrès

La fin du recueil fait émerger la figure d'un héros, homme singulier dont l'arrivée est saluée (« La Recherche », v. 45-46) :

> Ah celui-là, dites ! de quels lointains de fête,
> Il vient, plein de clarté et plein de jour ;
> Dites !

Porteur d'un espoir qui l'auréole, il est « simple », « humble », « attentif » (v. 53-54). C'est un homme solitaire mais solidaire de l'« effort d'ensemble » (v. 40). Il a vocation de guide car son « âme lucide et patiente entraîne / Les foules » (« Les Idées », v. 13-14).

Il devient l'incarnation de l'immense effort humain qui avance vers la découverte des grands secrets ; mais cette figure christique tourne le dos aux obscurités d'une foi religieuse qu'ont trop souvent éclairée « les feux et les bûchers » (« La Recherche », v. 25). Le titre « Vers le futur » confirme ce changement de perspective dont « l'être nouveau » devient le symbole actif et positif (v. 39-40) :

> L'esprit de l'homme avance et le soleil couchant
> N'est plus l'hostie en or divin qui fertilise.

Le dernier poème semble nous annoncer un monde et des villes enfin « purgés des dieux » (v. 49).

C'est pourtant l'« apôtre » qui, juste avant que « La Mort » ne déploie ses ailes noires sur *Les Villes tentaculaires*, inspirait à Verhaeren la dernière grande figure statufiée du recueil. Sous la plume du poète, le mot se dégage, il est vrai, de toute référence religieuse précise pour ne conserver que son sens d'*envoyé* (du grec *apostolos*) en relation avec ce qu'il faut bien appeler une sorte de mysticisme de l'humain : la dernière « Statue » ne représente rien de plus qu'un « homme », fût-il « grandiose » (v. 10). De lui, ses congénères avaient commencé par se moquer (v. 3-6) :

> Il s'en était allé si loin vers l'inconnu
> Que son siècle vieux et chenu,
> Toussant la peur [...]
> L'avait férocement enseveli sous la risée.

Comment ne pas reconnaître dans cet incompris à l'âme (trop ?) audacieuse un frère du poète baudelairien, « exilé sur le sol au milieu des huées » (« L'Albatros »)? La pose dans laquelle on exalta le souvenir de l'apôtre « des tas d'années » plus tard n'est pas, quant à elle, sans évoquer *Le Penseur* qui, inspiré à Auguste Rodin par le poète Dante, suscita longtemps de nombreuses railleries... Le coude appuyé sur « un roc d'ombre et d'or » (v. 12) et le « front large, puissant, tranquille et comme austère » (v. 23) font revenir confusément à notre mémoire un album de portraits où figurent, en bonne place, Chateaubriand et Hugo. « L'exil [...], la faim et la prison » de la troisième strophe rappellent ce qu'a coûté à de nombreux écrivains la pertinence de leur plume. Et c'est à la transmutation baudelairienne de la boue en or que l'on pense en lisant ce vers : « On lui prit sa folie et l'on en fit de l'ordre » (v. 18). À n'en pas douter, l'apôtre incarne le créateur inspiré en lequel se fondent les grands poètes de tous les temps car, panthéon littéraire édifié, semble-t-il, à la gloire de la clairvoyance poétique, sa « Statue » est « à la fois d'un temps et de l'éternité » (vers final).

Proche d'être un apôtre militant pour le progrès, le poète selon Verhaeren assume dans la cité le rôle que Victor Hugo souhaitait lui voir tenir dans « Fonction du poète ». Revenant à la mémoire du monde après la chute de tous les faux prophètes (moine, soldat et bourgeois), il sera seul à guider de son « geste fier » l'humanité vers la lumière.

Un pari sur l'avenir

Mais quelle lumière ? La mutation du monde moderne a, pour Verhaeren un caractère hypothétique. Dans « La Recherche », le poète s'interroge sur le temps qu'il aura fallu « pour faire un peu de certitude » (v. 20) ; dans « Les Idées », il semble reconnaître leur faible degré de réalité : « On les rêve parmi les brumes » (v. 4) ; l'harmonie n'est pas encore vérifiable en ce monde et reste « un large accord inentendu » (v. 92).

Le dispositif énonciatif du dernier poème, dont l'orientation est préparée par « les futures paroles » du texte précédent (v. 98), mérite d'être observé : dans les premières strophes sont interpellés les hommes et les villes : « Ô race humaine [...] / As-tu senti [...] / Héros, savant, artiste, apôtre, aventurier [...] / Et c'est vous, vous les villes. » Le temps du futur apparaît dans les verbes qui ouvrent les strophes finales : « Renaîtront-ils / Referont-ils / [...] deviendront-ils [...] ? » Si Verhaeren tourne son regard vers l'avenir, son recueil s'achève toutefois sur une série d'interrogations.

Les derniers poèmes du recueil sont résolument optimistes et le poète adopte un ton parfois prophétique, porté par la conviction que les hommes sont capables de transformer leurs villes en un monde meilleur. Mais il semble que la proclamation de sa foi dans le progrès soit pour Verhaeren un moyen d'exorciser ses propres angoisses devant une modernité qui l'effraye autant qu'elle le fascine. L'italique, dans ce dernier poème, a valeur de soulignement : en l'employant de façon identique pour ouvrir et fermer ses deux recueils, le poète indique sa volonté de saluer le passé révolu des plaines et de se tourner vers l'avenir promis par les villes. La structure en chiasme* formée par les titres « *La ville / La bêche / La plaine / Vers le futur* » est un miroir qui s'ouvre. Verhaeren veut croire que la monstruosité peut céder la place à la beauté, mais le nouveau reste à construire. Écoutons les derniers mots du recueil :

> *Rêves divers que fait,*
> *Devant chaque espoir neuf, la jeunesse du monde !*

à vous...

1 – Relevez dans l'ensemble du recueil les indices annonciateurs de l'optimisme final.

2 – Dissertation : En vous appuyant sur les «Tableaux parisiens» de Baudelaire et *Les Villes tentaculaires* de Verhaeren, vous vous interrogerez sur la fascination exercée par les villes sur les poètes. Leur poésie est-elle célébration ou condamnation?

3 – Continuez à lire :
– Nous avons rapproché Verhaeren et Baudelaire; continuez à découvrir *Les Fleurs du Mal* et plus spécialement «Hymne à la beauté», dans «Spleen et Idéal» (La bibliothèque Gallimard n° 38, p. 60).
– Autour de l'émeute. La lecture des textes ci-dessous pourra alimenter l'étude des différentes représentations de l'insurrection et permettra de mettre en perspective le travail de Verhaeren dans l'écriture poétique de «La Révolte». Il est notamment suggéré d'examiner les différences entre les points de vue, et les variations de registres, réaliste, épique ou grotesque, pour une peinture empruntant au domaine de l'histoire.

<u>Le regard de Victor Hugo sur une insurrection populaire</u> : *Les Misérables* (1862), IV, XII, 4 (Folio classique n° 3223 et 3224).
Le 5 juin 1832, lors des funérailles d'un général, ancien soldat de Napoléon, le peuple de Paris se rassemble, prêt à l'insurrection, autour de barricades dressées dans le quartier des Halles :

> «Rien de plus bizarre et de plus figuré que cette troupe. L'un avait un habit-veste, un sabre de cavalerie et deux pistolets d'arçon [...] Les grands périls ont cela de beau qu'ils mettent en lumière la fraternité des inconnus.»

<u>Le regard de Flaubert sur le peuple s'attaquant aux symboles</u> : *L'Éducation sentimentale* (1869), III, 1 (Folio classique n° 4207).
1848 : Frédéric et son ami journaliste assistent au sac des Tuileries d'où le roi Louis-Philippe vient de s'enfuir.

« Tout à coup *La Marseillaise* retentit. Hussonnet et Frédéric se penchèrent sur la rampe. C'était le peuple [...] Toutes les poitrines haletaient ; la chaleur de plus en plus devenait suffocante ; les deux amis, craignant d'être étouffés, sortirent. »

Le regard de Zola sur les grèves : *Germinal* (1885), V, 5 (Folio classique n° 3304).
Dans un contexte de lutte entre travailleurs et patronat, Zola présente la horde des mineurs en grève :

« Les femmes avaient paru, près d'un millier de femmes, aux cheveux épars, dépeignés par la course, aux guenilles montrant la peau nue, des nudités de femelles lasses d'enfanter des meurt-de-faim [...] et cette hache unique, qui était comme l'étendard de la bande, avait, dans le ciel clair, le profil aigu d'un couperet de guillotine. »

– L'Exposition universelle cristallise tous les rêves de la fin de siècle...
Dans cet article collectif publié sous le pseudonyme de Jean Frollo le 15 avril 1900, *Le Petit Parisien* raconte l'ouverture de l'Exposition.

« Avec quelle ardeur, en ces deux dernières semaines, tout le peuple de travailleurs à l'œuvre sur le Champ-de-Mars – devenu le champ de la paix – avait activé la besogne ! Un vrai monde, un univers a surgi du sol. Et quel magnifique spectacle que celui de cette multitude d'hommes venus de tous les points du globe, occupés sur ce vaste chantier à un labeur commun ! On a eu raison de dire : "C'est la tour de Babel* du travail !" En effet, les ouvriers parlaient là toutes les langues connues, toutes les nations y étaient représentées. Et on travaillait en pleine concorde, avec le même cœur à l'ouvrage. S'il fallait prouver que la fraternité universelle n'est pas une utopie, ce serait un exemple à offrir. Maintenant, la France, dans un salut cordial, va dire aux peuples :
– Vous pouvez venir ! [...] »
« Qu'est-ce qu'une Exposition universelle ? demandait Victor Hugo à la veille de celle de 1878. C'est tout l'univers voisinant ! On vient comparer les idéals. Confrontation des produits en apparence, confrontation d'espérances en réalité ! »
« L'Exposition de 1900 couronne le XIXᵉ siècle par l'apothéose de la Paix ; puisse le soleil du siècle nouveau se lever sur le monde dans un ciel sans brumes ! »

Après lecture du texte ci-dessus…
1. Relevez les marques énonciatives de l'enthousiasme.
2. Commentez : «C'est la Tour de Babel du travail.»
3. Commentez : «Confrontation des produits en apparence, confrontation d'espérances en réalité!»
4. Quels échos aux *Villes tentaculaires* pouvez-vous repérer dans ce texte journalistique?

Bilans

Représentations du corps humain

Verhaeren multiplie dans son recueil les procédés de dépersonnalisation des êtres. De même qu'il ne peint pas une ville particulière, il ne présente pas de figures individualisées. Les quatre statues érigées sur l'itinéraire de la ville privent même les héros de tout nom propre, et représentent plutôt les figures emblématiques des formes et forces sociales qui ont pu, au cours de l'histoire, assurer le fondement, la fondation et l'essor des villes. La statuaire les condamne à une pétrification qui les fige dans une pure fonction.

La diversité des spectacles rencontrés lors de la visite des villes tentaculaires révèle cette « vie entière » que le poète veut exprimer.

L'anonymat

Tout se passe comme si la cité restait indifférente aux individus ; leur identification est rendue impossible par l'emploi récurrent du terme générique indéfini *les gens* : de « La Plaine » à « La Mort », ce sont *des gens* qui « peinent », ou « *des gens* qui passent », dans le quartier des prostituées, « sur *des gens* morts ». L'utilisation non moins fréquente du pronom indéfini *on* confirme l'uniformité d'êtres sans visage ; l'attraction des villes s'exerce sur tous : « Et de partout *on* vient vers elle » ; elle commande des comportements identiques : « dans la bourse, « *on* se bat / […] On se trahit, *on* se sourit et l'*on* se mord ». L'anonymat atteint son apogée quand la Mort entre en action, renvoyant dos à dos l'être et le non-être par juxtaposition de deux indéfinis contraires : « De gros bourdons résonnent / Pour *tout le monde*, pour *personne*. » Exister ne veut donc plus rien dire pour les habitants des villes.

On peut alors comprendre la portée d'une figure de style privilégiée par Verhaeren : l'hypallage* ; la vie déserte les corps humains parce que la ville s'en empare ; les usines ont des yeux, les machines ont des doigts et des mâchoires, le port a des bras, la bourse dresse son torse et renferme « le cœur battant et haletant du monde » ; dans un même transfert, c'est la ville qui est dotée des sentiments dont sont privés les êtres : les monuments se tordent de douleur, la rue exprime ses haines et ses espoirs.

La déshumanisation

Dans les villes monstrueuses, la population subit la dégradation de l'animalisation : on voit ainsi les hommes devenir des « *chiens* lascifs » dans « Le Spectacle », ou être rassemblés dans « L'Étal » en « *troupeaux* noirs, / Comme des *chiens* chassés [...] Autour de *femelles* rouges ».

Cette perte d'humanité permet au poète de traiter le corps humain comme une matière qu'il triture dans ses images. Le corps qui doit se plier aux contraintes de la modernité tend au morcellement : le corps des ouvriers est décomposé en « morceaux de chair » le plus souvent évoqués dans des énumérations effrayantes, comme les danseuses qui ne sont qu'un assemblage de « jambes, hanches, gorges, [...] seins bridés [...], mains vaines » ; des spéculateurs de la bourse, on ne voit que des « langues sèches [...], des millions de bras tendus » ; le spectacle des corps dans « L'Étal » offre des visions de « chair morne », de « ventres pris » et la révolte remplit la rue de « têtes coupées, de « bras épars ».

Ainsi morcelés et chosifiés, les habitants des villes, fondus dans une masse informe, continuent cependant de s'agiter, devenant les objets du paysage urbain où les femmes forment « un étagement d'or, de gorges, de hanches » pendant que le plaisir est consommé « d'une main lente et machinale ».

La représentation du corps, dans *Les Villes tentaculaires*, signe la défaite de la chair humaine vaincue : au sein des villes modernes, l'homme est dénaturé.

L'abstraction

Si l'humanité a déserté les villes, des figures étranges semblent en revanche les hanter : c'est le rôle que Verhaeren attribue aux allégories* qu'il fait circuler dans les rues. Parmi la foule sans visage, ce sont des personnifications* qui certes rendent visibles des phénomènes abstraits, mais qui conservent une part de leur mystère épouvantable ou monstrueux. Verhaeren a ainsi recours à la représentation allégorique pour décrire dans « Le Spectacle » ce qu'est devenu le plaisir qui n'a plus « les mains fraîches » mais qui « aujourd'hui, sénile et débauché, [...] lèche et mord et mange son péché » ; le même procédé allégorique permet de voir, au début du recueil, le travail qui « bout comme un forfait » et, au cœur du recueil, le travail qui « s'épuise et s'endort ». Les rues de la ville sont envahies par ces figures terribles qui bondissent, comme la rage « féroce » ou comme la mort, qu'on « écoute glisser, rapide et haletante ». Les allégories signent la défaite morale des hommes.

Verhaeren distingue pourtant progressivement dans cet univers une figure nouvelle, celle d'un probable héros rédempteur, attendu depuis « L'Âme de la ville » comme « un nouveau Christ, en lumière sculpté ». Sa représentation restera cependant abstraite : il apparaît dans « La Recherche » tel un être « simple et clair [...], humble et attentif », puis il est salué dans « Les Idées » pour son « âme lucide et patiente ». Bien qu'il soit évoqué sous les traits d'un homme singulier, aucune caractéristique ne vient individualiser ce héros des temps modernes qui, dans le poème de clôture du recueil, est désigné par une expression qui préserve toute son abstraction : « l'être nouveau ». Peut-être cette figure, solitaire mais non pas isolée, a-t-elle pour mission de nous rendre l'espoir, de nous faire croire qu'un nouvel élan positif peut être donné à l'humanité moderne ? On comprendra alors que cette figure hypothétique reste abstraite, car elle a pour fonction, dans les derniers vers du recueil, d'illuminer les « Rêves divers que fait, / Devant chaque espoir neuf, la jeunesse du monde ! ». L'absence de représentation corporelle a ici valeur de promesse qui doit animer nos rêves.

La langue de Verhaeren

Entre tradition et modernité, conformisme et innovation, influencé par différents courants esthétiques, Verhaeren travaille la langue comme un matériau visuel et sonore et la pétrit avec le souffle de sa fougue.

Le vers

À sujet moderne, métrique libérée des contraintes usuelles ! On comprend aisément le choix de Verhaeren pour le vers libre* ; dans ses vers mêlés* prédominent l'alexandrin, le décasyllabe ou l'octosyllabe, mais à la variabilité de la carrure·métrique s'ajoutent les ruptures provoquées soit par les vers très courts soit par les vers qui s'étirent démesurément.

Ainsi, dans « Le Spectacle », les vers 19 à 21 semblent se recroqueviller jusqu'aux deux syllabes du vers 22 : « en fuite » ; c'est souvent à un seul mot que se résume le vers. On trouve ainsi : « les ostensoirs » (« Les Cathédrales », v. 21), « l'inquiétude » (« Le Spectacle », v. 61), « les cheminées » (« Les Usines », v. 13). Mais la peinture de la démesure des villes semble parfois imposer l'extension du vers. Voici par exemple l'activité de la bourse (v. 86) :

> Le jeu, axe terrible, où tournera autour de l'aventure...

Les rimes

Verhaeren se plie apparemment à la tradition des rimes, qu'elles soient plates ou embrassées, mais il n'hésite pas à insérer des terminaisons isolées à la fin de certains vers. Ainsi, dans la première strophe des « Cathédrales », le dernier mot, « méditent », ne s'intègre pas dans le jeu des rimes. Le phénomène se produit parfois au cœur d'une longue strophe, comme dans « La Bourse », au vers 57, où la terminaison syllabique de « blêmes » ne reçoit pas l'écho d'une rime.

En fait, ce sont surtout les effets d'échos sonores internes que travaille le poète en privilégiant les rimes intérieures. Le poème « Les Usines » est représentatif de cette écriture basée sur les échos : on y trouve dans un même vers *métiers / méticuleux*. L'effet est parfois celui de la paronomase* : *volants / violents*. Le système d'écho peut être multiple : « Un *jour* de *cour avare* et *gras*. » Aux rimes intérieures s'ajoutent donc très souvent les effets d'assonance* et d'allitérations*. Dans le même poème, ce sont des rimes intérieures que l'on entend dans les premiers hémistiches* de quelques suites de vers : « Se regard*ant* / se mir*ant* », « Par à trav*ers* / Et la mis*ère* ». Dès lors, on ne s'étonnera pas que Verhaeren s'affranchisse parfois de la règle d'alternance entre rimes féminines et masculines, comme par exemple dans « Le Port » où, des vers 15 à 27, la suite des rimes est uniquement féminine. Pour Verhaeren, l'essentiel semble consister à produire des échos phoniques qui créent, par leur succession, des masses rythmiques.

Le rythme

Le rythme ternaire est privilégié pour conduire des énumérations : « Ciments huileux, plâtras pourris, moellons fendus » dans « La Plaine » ou « Aubes rouges, midis fumeux, couchants vermeils » dans « Les Idées ».

Le rythme binaire s'appuie souvent sur l'élan donné par la conjonction *et* à l'ouverture du vers : « *Et* par les quais uniformes et mornes, / *Et* par les ponts et par les rues » (L'Âme de la ville »).

Le travail du rythme chez Verhaeren est toujours lié à la création d'une atmosphère, sombre ou lumineuse, et a pour visée d'impulser un ton, triste ou enthousiaste.

Les strophes

Dans son recueil, Verhaeren utilise toutes les formes strophiques classiques, mais n'hésite pas à donner à ses poèmes une véritable élasticité, étirant parfois démesurément les groupes de vers, comme dans « La Bourse », où l'on trouve une strophe de 37 vers ! Une telle extension strophique apparente certains poèmes à des laisses*. En revanche, il arrive que les poèmes trouvent une unité strophique grâce à la reprise de vers isolés. Ainsi, le vers « Toute la mer va vers la ville ! » sonne comme un refrain dans « Le Port ». Le distique* est également employé, tel un leitmotiv* à fonction de lamentation (« Les Cathédrales ») :

> – Ô ces foules, ces foules,
> Et la misère et la détresse qui les foulent !

Le lexique

Belgicisme ou influence symboliste ? Verhaeren montre un goût prononcé pour les mots rares, qu'il emploie tant pour leur étrangeté sonore que pour leur puissance évocatoire, réaliste ou poétique. On trouve ainsi dans « La Plaine » l'adjectif archaïque *orde* pour caractériser l'aspect sale et dégoûtant de la fumée. Un autre archaïsme est un peu plus loin utilisé, peut-être pour son effet d'assonance* avec « l'ortie », qui envahit la terre cultivable et clôturée désignée par les *oches*. Les Promeneuses, ces prostituées évanescentes décrites par le poète, apparaissent tenant dans leurs mains des fleurs de *macre*, plante aquatique à fleurs blanches et fruits épineux. La référence aux horreurs provoquées par les luttes religieuses s'enrichit du nom *claies* pour représenter le supplice du Moyen Âge consistant à attacher un corps sur un treillage de fer ou de bois (la *claie*) traîné par un cheval (« La Recherche »). Verhaeren peut encore insérer un mot venu d'une langue étrangère comme le terme anglais *ale*, jouant sur l'ambiguïté possible de sa prononciation : [ɛ], comme il conviendrait, ou [a] pour prolonger la vague d'assonances du vers précédent ? Enfin, on relèvera l'emploi du verbe *s'essorer* dans « L'Étal », au sens de « prendre son envol ».

On notera aussi un recours fréquent aux verbes pronominaux : s'exalter, se rythmer, s'inventer, se cueillir, s'entrecroiser… Il arrive qu'un verbe intransitif soit affecté d'un complément qui le rend étrange : ainsi la plaine, sous la plume de Verhaeren, « tousse son agonie ».

Une des singularités du lexique tient à la récurrence de termes redondants et aux variations prépositionnelles : *par à travers, par au-delà, de l'un à l'autre bout*… Une autre manière de sortir des usages consiste à pluraliser des phénomènes uniques : on voit ainsi parfois apparaître des *soleils*.

Verhaeren multiplie les procédés d'amplification, étoffant son vers par des mises en relief. Il peut ainsi exploiter de façon étrange la forme impersonnelle (« Il apparaît la bête » dans « Le Bazar ») ou multiplier les présentatifs au long d'un poème : « Voici les pauvres gens / Voici les corps usés / Voici les travailleurs… » : un moyen de présenter le défilé de la foule dans « Les Cathédrales » tout en créant un effet de litanie lancinante. Une autre forme de mise en relief consiste souvent à commencer un vers par « C'est », ce qui relève de l'hypotypose* ; placés au cœur de « La Révolte », nous assistons avec terreur aux événements : « C'est la fête du sang. »

La force d'une langue rude

Tout le recueil est écrit avec l'énergie de l'horreur ou de l'enthousiasme. La langue de Verhaeren est souvent brutale : il y a de la brutalité dans la manière dont une longue séquence de presque 40 vers (« La Bourse ») conduit à cette chute : « Se cassent. » Il y a également de la brutalité dans le choc des sonorités, recherchées dans des séries telles que « automatique / tictaquement / déchiquette / vacarme / chocs / blocs… » (« Les Usines »).

Par tous les procédés qu'il exploite dans son écriture, Verhaeren cherche à modeler la langue et la versification pour les adapter à son projet. Son originalité ne réside pas dans la nouveauté de ces procédés, mais vient plutôt de leur accumulation* et de la fréquence et de l'intensité extrêmes avec lesquelles il les met en œuvre.

Répétitions et effets de surprise ne s'opposent pas mais curieusement se combinent, car Verhaeren brasse la langue avec une fougue inventive. On retiendra bien sûr la création de l'adjectif *tentaculaire* ; on pourrait aussi relever le néologisme* *myriadaire* dans « Les Promeneuses » (v. 8) et « La Recherche » (v. 38).

Le travail d'écriture auquel se livre Verhaeren procède d'une volonté farouche de nous atteindre, par tous les moyens : images fortes, lexique surprenant, sonorités rugueuses, mises en page frappantes, rythme emporté ; c'est une écriture qui se livre souvent à la démesure, mais l'essentiel est de toucher les lecteurs, d'où le jeu très appuyé sur les modalités* : « Hélas ! la plaine / Ô les siècles ! / Le rêve ! / Ô ces foules […] qui les foulent ! / Dites !… » Le poète ne cesse de nous appeler, de nous ouvrir les yeux, de susciter nos émotions devant ce peuple des cités, nouveau héros des temps modernes. Telles sont les principales caractéristiques d'une langue poétique où l'éloquence oratoire prend les accents d'un lyrisme à la fois compassionnel et épique.

Annexes

De vous à nous...

Arrêt sur lecture 1

«La Plaine» (p. 52)

1 – La réalité des industries sidérurgiques et textiles est inscrite dans les deux strophes : Verhaeren décrit l'implantation des usines dans un réseau d'égouts, rivières, fossés et berges (v. 24-25 et 32-33) ; il témoigne des conditions de travail harassantes : nombre d'heures (v. 34-37), intensité du rythme (v. 44) ; le tableau est animé par l'activité des «claviers» et des «fuseaux», et l'on entend «les chaudières et les meules» (v. 21). Ce sont ainsi les traces réelles de l'activité industrielle de son époque que le poète restitue dans un registre réaliste.

2 – La plaine devenue la proie de la ville est décrite à travers le champ lexical* de la dégradation ; l'action combinée de la fumée et de la suie (v. 10), des vibrations du sol, (v. 22), des rejets dans les eaux (v. 24-25) aboutit à une destruction générale de l'environnement : nous traversons ainsi un paysage constitué de «ruines» (v. 68), «enclos rapiécés» (v. 70), «seuils et murs lézardés et toitures fendues» (v. 79). Sur les «chemins noirs de houille et de scories» (v. 71) où le monstre a répandu sa pollution mortifère, on ne trouve plus que des «squelettes de métairies» (v. 72), évoquant les restes abandonnés par le monstre repu.

3 – Les vers 53 et 58 présentent des modalités exclamatives où s'exprime toute la nostalgie de l'âge ancien. Le vers 66 est une question rhétorique ; qui concentre dans l'espace du décasyllabe une interrogation nominale suivie d'une réponse : dans ce raccourci saisissant est posé le constat brutal et amer de la mort. Dans les vers 82 à 83, une triple exclamation prend la tonalité de la déploration : la reprise de l'interjection «hélas !» apparente la fin du poème à un chant de deuil.

4 – Nous trouvons au vers 70 une des rares manifestations directes du poète ; par l'emploi du pronom indéfini *on*, Verhaeren montre sa présence et invite les lecteurs à parcourir à ses côtés ces «chemins noirs» et à partager avec lui sa compassion devant l'agonie de la plaine. Il nous rappelle sa présence au moment où l'émotion compassionnelle s'intensifie : nous sommes conviés à partager le deuil d'un monde révolu.

«L'Âme de la ville», lecture cursive (p. 55)

1 – Un parcours topographique

On peut observer tout d'abord une ouverture panoramique, le regard survolant les toits et les clochers (v. 1-4) pour ouvrir le champ de vision sur une étendue sans limites (v. 8). Cette vision initiale peut rappeler les premiers vers de «Tableaux parisiens» où Baudelaire peint la ville observée depuis les hauteurs. Un mouvement de plongée permet ensuite au regard de suivre les lignes horizontales que tracent depuis son centre jusqu'au lointain les réseaux de quais, de ponts et de rues (v. 5-12). La ville ainsi observée baigne alors dans un fond de brumes vaguement éclairé par un «soleil trouble» (v. 13-20). De cet univers d'ombres confuses ne surgit qu'un aigle noir, «dans le brouillard» (v. 21-24).

Nous pourrions supposer alors que notre regard au-dessus de la ville surplombait le vol de l'oiseau aux «ailes grandes».

2 – Un parcours chronologique

L'apparition de l'oiseau noir, avec son étendard, engendre une évocation de l'histoire des villes, résultant de «désirs fous ou de colères carnassières» (v. 33) ; le poète développe alors une méditation sur le temps, dont le poids pèse sur la ville «profonde» (v. 65). Le paysage urbain est perçu dans la dimension temporelle des siècles passés et à venir : «Ô les siècles et les siècles sur cette ville.» Le vers 25 sera repris avec de légères variations, tel un leitmotiv* (v. 29-77 et 100). Le poème retrace alors les étapes de l'histoire des villes : «depuis quels temps ?» (v. 31) ; il sonde ses profondeurs «elle a mille ans la ville, / La ville âpre et profonde» (v. 64-65) ; il embrasse le mouvement de l'histoire qui conduit du «rêve ancien» au rêve «nouveau» (v. 101) et suit ce qui avance «à travers temps» (v. 111). Nous percevons une force qui s'active en de «souterrains abois / Vers on ne sait quel idéal» (v. 51-52) et se déploie enfin, «géante» (v. 74).

3 – Un parcours allégorique

Le poème présente l'âme de la ville sous ses apparences successives : «victorieuse, vaincue, énorme, vague, errante, formidable, convulsée» (v. 71 à 86) ; en suivant son trajet, nous traversons à la fois l'espace et l'histoire de la cité ; dans la clôture du poème semble s'esquisser un mouvement d'envol

« vers l'horizon », vers les « étoiles ». Dans l'avant-dernière strophe se déploie cette fois « le rêve », mis en relief par une exclamation qui lui confère ampleur et élan, et enrichi par la métaphore filée* des buissons d'étoiles. Enfin, une nouvelle vision se substitue à celle de l'aigle noir : c'est « un nouveau Christ » qui surgit dans les derniers vers.

Verhaeren, en embrassant la ville du regard, embrasse toute son histoire dans un panorama chronologique orienté vers l'avenir. À l'entrée du recueil, ce poème a une fonction programmatique et annonce le caractère spatial, temporel et allégorique du parcours auquel nous sommes conviés.

Lecture analytique du « Port » (p. 58)

« Toute la mer va vers la ville ! », s'écrie le poète pour qui le port semble le point d'aboutissement de toutes les odyssées humaines.

La structure du poème, scandé par ce vers, est caractérisée par deux séries de distiques* qui encadrent des strophes plus longues. En ouverture et en clôture, cinq distiques égrènent l'anaphore* (« Son port… ») qui décrit le port. À l'intérieur du poème, une première strophe de longue ampleur évoque (v. 13 à 27) « les flots légers », alors que la strophe développée des vers 43 à 54 s'ouvre sur « la mer pesante ». Insérés entre ces deux strophes, un quintil* et un huitain* multiplient, au cœur du poème, des exclamations où l'enthousiasme évolue vers une célébration des morts.

1 – Le port à l'entrée de la ville : un phare

a) L'écriture du mouvement :

Les premiers poèmes préparaient l'arrivée dans l'espace portuaire. À « l'espoir *fou* » (v. 61) qui suscitait un constat admiratif : « Et de partout on vient vers elle » dans « L'Âme de la ville » répond, dans le poème consacré au port, la comparaison des vagues à « un désir multiple et *fou* » (v. 48). De même, l'exclamation « Dites ! » (v. 34, 37, 40) fait écho au poème liminaire du recueil, où retentissait la même modalité* (v. 53 et 58).

Espoir et désir impriment leur mouvement à l'écriture : « Toute la mer va vers la ville ! », l'octosyllabe exclamatif revient comme une vague tout au long du poème. L'effet d'attraction exercé par le port est amplifié par un procédé de pluralisation inhabituelle qui paraît multiplier les points cardinaux : « Les Orients et les Midis tanguent vers elle / Et les Nords blancs » (v. 17-18). C'est en effet le « monde » entier qui « cingle » vers le port et Verhaeren concentre les procédés d'amplification et d'accumulation* dans la strophe la plus longue du poème : la répétition en trois temps du noyau « les flots » lance le rythme : « *Les flots* qui voyagent comme les vents, / *Les flots* légers, *les flots* vivants. » La reprise anaphorique de la conjonction

« et », suivie de l'indéfini hyperbolique, montre ensuite le caractère inépuisable, ininterrompu et universel de cette attraction : « *Et tous* nombres […] *Et tout* ce qui s'invente *et tout* ce que les hommes tirent… » En outre les verbes « tanguer, tendre, cingler » liés au champ lexical de la marine et construits avec la préposition « vers » maintiennent l'effet de mouvement continu.

b) L'attraction des activités portuaires :

À ceux qui parcourent les océans, le port manifeste sa présence en dressant comme un phare ses « grands mâts droits » (v. 3), ses « mâts d'or » (v. 63) ainsi que « ses docks bondés jusques au faîte » (v. 34). La puissance d'appel du port est à associer au fait qu'il concentre les biens dont rêvent les hommes. Porte ouverte entre l'océan et la ville, « réservoir des richesses uniques » (v. 24), le port génère la dynamique nécessaire à l'activité économique : « marbres et bois, / Que l'on achète, / Et que l'on vend au poids » (v. 37-39). Mais le commerce et les échanges qu'il suppose ne sauraient se réaliser sans la transaction ; le nom « dispute » (v. 23), synonyme de discussion, n'a pas ici de connotation négative. Il faut donc relire le vers « elle est le brasier d'or des humaines disputes » et voir comment la vivacité des négociations devient sous la plume du poète support d'une métaphore* qui revivifie l'image courante du « feu de la discussion ».

De plus, l'effervescence est telle que non seulement les richesses affluent au port « scintillant de feux », mais qu'elles seront aussi transportées et distribuées sur « les rails fuyants et lumineux » (v. 56-57), prolongements modernes des routes maritimes. C'est bien en poète-peintre que Verhaeren nous présente le travail des hommes, l'exposant à la lumière du feu et de l'or, entre lignes verticales et horizontales.

On peut donc aller vers la ville en passant par le port, car le port assure aussi refuge et abri, offrant « des havres d'airain, de grès et basalte » (v. 65).

<u>2 – La peinture d'un espace fabuleux</u>

a) Un port vivant :

Ouvert sur l'océan, le port jouit de la vitalité que lui transmettent « les flots vivants » (v. 14) : tout le poème est traversé par cette allégorie de la mer, fée nourricière et bienveillante, grâce à laquelle la ville « respire » (v. 15). Ainsi tout prend vie, dans une dynamique de flux et de reflux impulsant le mouvement d'inspiration et d'expiration d'un organisme vivant ou provoquant l'oscillation d'un sentiment à un autre, « chaque lame ébauch[ant] une tendresse / Ou voil[ant] une fureur » (v. 51-52). La personnification* du port a été en fait établie par un effet de transfert initial de l'énergie vitale des hommes, exprimé par l'hypallage* du vers 8 : « Son port est fourmillant [...] de bras. » Ces bras, ceux de tous les marins et dockers qui s'activent, ne peuvent manquer de rappeler l'image du titre et les tentacules qu'étirent les villes, pieuvres géantes. L'image réapparaît aux vers 32-33, ajoutant au mouvement d'attraction exercé par le port le mouvement de préhension :

> Et la ville comme une main, les doigts ouverts,
> Se refermant sur l'univers !

La comparaison* est ici explicite : ouverture et fermeture nous montrent une main qui enserre sa proie. Deux images se superposent alors, car bras et doigts peuvent rappeler ces serres terribles déjà rencontrées dans « L'âme de la ville » (v. 22-24) :

> Ailes grandes, dans le brouillard,
> Un aigle noir avec un étendard,
> Entre ses serres de basalte.

Les deux images reçoivent un éclairage analogue : l'aigle déploie ses ailes « dans le brouillard », le port apparaît « à travers brumes » (v. 4) ; il semble fatal que l'aigle funèbre aux « serres de basalte » hante les « havres [...] de basalte ». Le port serait-il maudit ?

b) Un port mythique :

Si la présence d'objets disparates, vergues, amarres, marteaux, rails (v. 3, 9, 11, 57) inscrit le port dans une réalité concrète, tout l'espace portuaire baigne dans une lumière sinistre dont l'étrangeté est transmise par une comparaison picturale : « le soleil comme un œil rouge et colossal larmoie ». Serait-ce l'œil d'un cyclope qui surplombe ainsi le port ? Quant aux hommes qui travaillent, nous les voyons « perdus en un fouillis dédalien » (v. 9) tels des fantômes sans visage, errant dans un espace labyrinthique et monstrueux. Les allusions mythologiques se combinent en outre avec des allusions chrétiennes : comment ne pas voir dans ce port « tourmenté de chocs et de fracas / Et de marteaux tonnant dans l'air leurs tintamarres » la punition du travail infligé par Dieu comme un tourment à Adam et Ève chassés du paradis ? Ou ne pas y reconnaître l'univers tonitruant des Titans* ?

De même, le port, présenté comme un réservoir de richesses, évoque la légendaire corne d'abondance*. En attirant « cent peuples » (v. 30) qui se réunissent en un seul peuple « dans la cité commune », il semble réaliser un rêve de l'humanité. L'exclamation « Ô les Babels enfin réalisées ! », assortie d'une nouvelle pluralisation inusitée, exprime l'espoir du poète de voir se réaliser le mythe de Babel* : à partir du feu du « brasier », qui permet dans le mythe de cuire les briques, les hommes peuvent travailler de concert, c'est-à-dire partager une même langue et conjuguer leurs efforts, devenant ainsi des bâtisseurs. Toutefois cet optimisme est vite tempéré par la prise en considération du prix à payer pour une telle entreprise : « les morts, les morts, les morts / Qu'il a fallu pour ces conquêtes ». Nous sentons dans le rythme donné par la reprise des mots que l'élan du flux marin est contrarié par l'évocation funèbre : la construction des Babels s'inscrit dans une histoire marquée de sacrifices et d'épreuves. Même la puissance océane peut anéantir tant d'efforts, avec « ses vagues coalisées [...] qui renversent des rocs depuis mille ans debout » (v. 47-49). Si le port résiste, protégé par ses « tours rouges » (v. 58), la mer fait entendre sa menace par « un bruit souterrain d'eau qui s'enfle et ronfle en elles » (v. 59) comme en écho au mugissement des meutes de steamers entendus au début du poème.

Porte ouverte sur la ville et ses activités, le port se dresse comme une figure de proue dans cette première partie du recueil, à l'image de ces « déesses sculptées / À l'avant des vaisseaux » (v. 62-63), présences protectrices veillant sur l'humanité. Emblème* lumineux de la ville, le port a-t-il pour fonction d'éclairer les hommes et de les guider ? L'épopée n'est pas achevée ; la puissance lumineuse de la ville-phare pourrait bien être assombrie par les effets de la folie humaine et conduire à l'erreur et... à l'errance.

La première étape pour entrer dans l'univers citadin nous fait donc découvrir un lieu chargé de passé et porteur d'avenir, plein de promesses et lourd de menaces. L'humanité semble marquée par cette dualité ; l'or et le feu qui illuminent le port sont ambivalents et suscitent autant l'angoisse que l'espoir.

Force est de reconnaître en outre que Verhaeren, qui déverse ses vers comme un véritable flux, élabore ainsi un réservoir d'images qu'il dissémine dans tout le recueil. Sa représentation de la ville est traversée par une pensée mythique sans cesse à l'œuvre : dans *Les Villes tentaculaires*, l'imaginaire du poète est travaillé par de grands mythes à la fois fondateurs et destructeurs. Aussi convient-il, pour poursuivre notre itinéraire à l'intérieur de ces villes à la fois enthousiasmantes et inquiétantes, de revisiter les villes bénies ou maudites édifiées dans les mythes gréco-romains et judéo-chrétiens, afin de retrouver ces légendes qui inspirent ou qui hantent la mémoire du poète.

Glossaire

Achéron : fleuve des Enfers dans la mythologie grecque. Les âmes des morts le traversaient sur la barque de Charon pour entrer au royaume d'Hadès.

Accumulation : suite d'une série de termes de même nature (série de noms, de verbes…)

Allégorie : représentation figurée d'une idée, rendue moins abstraite, le plus souvent par le biais d'une personnification.

Allitération : répétition de phonèmes consonantiques identiques ou voisins.

Analogie : ensemble de procédés permettant le rapprochement entre des thèmes, des objets ou des personnes.

Anaphore : procédé d'amplification rythmique par répétition du même mot ou groupe de mots en début de vers ou de phrases.

Assonance : répétition de phonèmes vocaliques identiques ou voisins.

Babel : (d'un terme babylonien signifiant « porte de Dieu »). Selon la Genèse, tour érigée en Babylonie avec l'objectif d'atteindre les cieux. Cette prétention ayant provoqué sa colère, Dieu introduisit la multiplicité des langues afin que la construction en soit interrompue et, pour punir leur orgueil, dispersa les hommes sur toute la surface de la Terre.

Champ lexical : l'ensemble des mots qui, dans un texte, appartiennent par leur dénotation à un même domaine.

Chiasme : figure formée d'un croisement des termes, comme dans « blanc bonnet et bonnet blanc ».

Cliché : expression ou image devenue banale pour avoir été très souvent employée.

Comparaison : figure de style rapprochant deux éléments, un comparé et un comparant, au moyen d'un outil explicitant leur ressemblance.

Corne d'abondance : selon la mythologie grecque, corne de la chèvre Aïx au lait de laquelle aurait été nourri Zeus. Celui-ci l'aurait offerte à sa nourrice Amalthée en lui promettant qu'elle se remplirait indéfiniment d'un trésor de fruits et de nectars.

Diptyque : tableau, œuvre littéraire ou segment d'une œuvre en deux parties.

Distique : groupement de deux vers.

Emblème : élément concret symbolisant une notion abstraite.

Enjambement : débordement de la syntaxe hors de la longueur du vers.

Gorgones : dans la mythologie grecque, filles monstrueuses de divinités marines. Couvertes d'écailles d'or et pourvues d'ailes immenses, elles avaient faces hideuses à chevelure de serpents, langue pendante et défenses de sanglier en guise de dents. Elles avaient le pouvoir de transformer les hommes en pierre d'un seul regard.

Harpyes (ou Harpies) : dans la mythologie grecque, monstres ailés à tête et à poitrine de femme, et à corps et serres d'oiseau de proie. Agents de la vengeance divine, ravisseuses des enfants et des âmes, elles apparurent d'abord sous les traits de déesses séduisantes et belles puis furent représentées comme de vieilles sorcières. Leur vol est réputé aussi rapide et violent que les vents d'orage. Un récit mythologique raconte que, jugé trop clairvoyant par les dieux, le roi Phinée avait été livré à deux Harpies qui le persécutaient, volant la nourriture sur sa table et y déposant leurs excréments.

Hémistiche : chacune des deux moitiés d'un vers.

Hésiode : poète grec (VIIIᵉ-VIIᵉ siècle av. J.-C.). Dans *Les Travaux et les Jours*, où sont racontées ses expériences de paysan en Béotie, il retrace l'histoire du monde à travers cinq étapes, de l'âge d'or jusqu'à l'âge de fer, auquel il appartient.

Huitain : strophe de huit vers.

Hypallage : transfert de mots qui devraient logiquement être attribués à un énoncé sur un autre énoncé.

Hypotypose : description animée et frappante, qui place en quelque sorte ce qui est décrit devant les yeux du lecteur comme sur une scène.

Laisse : groupe de vers assonancés, en nombre quelconque ; c'est la strophe des chansons de geste.

Leitmotiv : terme, formule ou thème qui revient plusieurs fois.

Méduse : dans la mythologie grecque, seule mortelle parmi les Gorgones. Elle fut tuée par Persée et de sa gorge tranchée surgit le cheval ailé Pégase.

Métaphore : assimilation entre deux termes, sans outil explicite pour relier comparé et comparant.

Métaphore filée : la métaphore est développée par plusieurs termes.

Modalité : forme (déclarative, interrogative, injonctive ou exclamative) qui peut être donnée à un énoncé.

Néologisme : mot inventé, qui n'existait pas dans le lexique.

Paronomase : procédé consistant à rapprocher des termes en exploitant leur proximité sonore.

Personnification : faire d'un animal, d'un objet ou d'une idée une personne humaine.

Phénix : oiseau fabuleux qui, selon la légende, vivait en Arabie. S'immolant par le feu tous les cinq cents ans, le nouveau jeune Phénix renaissait de ses cendres. Si l'Égypte ancienne l'associait au culte du Soleil, la première tradition chrétienne en fit le symbole de l'immortalité et de la résurrection.

Prométhée : dans la mythologie grecque, un des Titans, célébré comme l'ami et le bienfaiteur de l'humanité à laquelle il donna le feu dérobé aux dieux. Pour le punir, Zeus le fit enchaîner au sommet du Caucase, où un aigle lui dévorait le foie, qui repoussait sans cesse. En tuant l'aigle, Héraclès le délivra.

Prosaïque : qui relève de la réalité commune, plate et vulgaire.

Quintil : strophe de cinq vers.

Stéréotype : cliché, lieu commun.

Synesthésie : relation établie à partir de perceptions provenant de sollicitations sensorielles différentes.

Titans : dans la mythologie grecque, les douze enfants d'Ouranos (le ciel) et de Gaia (la terre), et certains de leurs propres descendants. Anciens dieux d'une taille énorme et d'une force remarquable, ils furent longtemps les maîtres suprêmes de l'Univers. Cronos, le plus important d'entre eux, régna sur l'univers jusqu'à être détrôné par son fils Zeus qui s'empara du pouvoir. On compte aussi parmi eux Océan, Téthys, Mnémosyne, Thémis, Hypérion, Japet et Atlas. Condamnés à habiter le Tartare, ils en furent libérés lors de la réconciliation finale de Zeus avec Cronos, qui devint maître de l'Âge d'or.

Triptyque : œuvre ou segment d'une œuvre en trois parties.

Veau d'or : selon le récit biblique de l'Exode, idole fondue par Aaron au pied du mont Sinaï, à partir des bijoux des Israélites, tandis que Moïse était parti à la rencontre de Dieu sur la montagne. Accusé d'avoir péché, Aaron expliqua qu'il avait voulu ainsi satisfaire le désir des Hébreux pour un objet de culte visible.

Vers libres : ensemble de vers de longueurs différentes où la combinaison des rimes est également variable.

Vers mêlés : suite faisant alterner des vers de longueurs différentes.

Éléments bibliographiques

Éric Anceau, *Introduction au XIXᵉ siècle*, tome 2 : *1870 à 1914*, Belin, « Atouts Histoire », 2005.

Pascal Belmand, « La ville et ses cortèges. Essai sur les parcours collectifs urbains », in *Ville et Voyage – Trajectoires urbaines*, École nationale supérieure de Saint-Cloud. tome II, Didier érudition, 1986.

Collectif, *Émile Verhaeren, poète, dramaturge, critique*, colloque international, Éditions de l'Université de Bruxelles, 1983.

Pierre Grimal, *Dictionnaire de la mythologie grecque et latine*, P.U.F., 1951.

Hans-Joachim Lope, *Émile Verhaeren, poète de la ville*, Marburg, 1984.

A. Mabille de Poncheville, *Vie de Verhaeren*, Mercure de France, 1953.

Charles Maingon, *Émile Verhaeren critique d'art*, Nizet, 1984.

Albert Mockel, *Émile Verhaeren, poète de l'énergie*, Mercure de France, 1933.

Maurice Piron, *Les Campagnes hallucinées, Les Villes tentaculaires*, Préface, Poésie/Gallimard, 1982.

TABLE DES MATIÈRES

Dans la même collection

Lycée – Texte et dossier

Lycée – En perspective

Pour plus d'informations :
http://www.gallimard.fr
ou
La bibliothèque Gallimard
5, rue Sébastien-Bottin — 75328 Paris Cedex 07

Cet ouvrage a été composé
et mis en pages par In Folio à Paris,
achevé d'imprimer
par CPI Hérissey à Évreux
en juin 2010.
Imprimé en France.
CPI

Dépôt légal : juin 2010
1er dépôt légal : mai 2006
n° d'imprimeur : 114305
ISBN 978-2-07-033774-3

175719